상위권　　　　　순세 해결 연산 학습지

응용 연산

B2
초2~초3

곱셈구구의 활용과 나눗셈구구

Creative to Math
씨투엠

응용연산 : 상위권으로 가는 문제해결 연산 학습지

요즘 아이들은 초등학교 입학 전에 연산 문제집 한 권 정도는 풀어본 경험이 있습니다. 어릴 때부터 연산 문제를 많이 풀었기 때문에 아이들은 아직 학교에서 배우지 않은 계산 문제를 슥슥 풀어서 부모님들을 흐뭇하게 만들기도 합니다. 그런데 아이들의 연산 능력은 날로 높아지지만 수학 실력은 과거에 비해 그다지 늘지 않은 것 같습니다. 사실 진짜 수학 실력은 연산 문제나 사고력 수학 문제를 주로 푸는 초등 저학년 때는 잘 드러나지 않습니다. 응용 문제를 본격적으로 풀기 시작하는 초등 3, 4학년이 되어서야 아이의 수학 실력을 판별할 수 있습니다.

초등 수학에서 연산이 가장 중요한 것은 부정할 수 없는 사실입니다. 중학생, 고등학생이 되어서 부족한 연산 능력을 키우는 것은 거의 불가능합니다. 이러한 연산의 특수성 때문에 아이들은 어린 나이부터 연산을 반복적으로 연습하여 실력을 키우려고 합니다. 이렇게 열심히 연산을 공부하는데도 왜 어떤 아이들은 수학 문제를 잘 풀지 못하는 것일까요? 그 이유는 현재 연산 학습의 목적이 단지 '계산을 잘 하는 것'이 되어버렸기 때문입니다. 연산은 연산 자체가 목적이 될 수 없으며 수학의 진짜 목표인 문제를 잘 풀기 위한 수단으로 연산을 학습해야 합니다.

과거 초등 수학 교과서의 연산 단원은 ① 원리와 연습 ② 문장제 활용의 단순한 구성이었습니다만 요즘의 교과서는 많이 달라졌습니다. 원리와 연습은 그대로이거나 조금 줄었지만 연산을 응용하는 방식은 좀 더 다양해졌습니다. 계산 능력의 향상만을 꾀하는 것이 아니라 여러 가지 퍼즐이나 수학적 상황 등을 해결할 수 있는 '응용력'에 초점을 맞추고 있다는 것을 보여주는 변화입니다. 따라서 저희는 연산 학습지도 원리나 연습 위주에서 벗어나 실제 문제를 해결할 수 있는 능력에 포인트를 맞추어야 한다고 생각합니다.

'연산은 잘 하는데 수학 문제는 왜 못 풀까요?'에 대한 대답이자 대안으로 저희는 「응용연산」이라는 새로운 컨셉의 연산 학습지를 만들었습니다. 연산 원리를 이해하고 연습하는 것에 그치지 않고, 익힌 것을 활용하는 방법을 바로 보여줄 수 있어야 아이들이 수학 문제에 연산을 효과적으로 적용할 수 있습니다. 연습은 꼭 필요한 만큼만 하고, 더 중요한 응용 문제에 바로 도전함으로써 연산과 문제 해결이 단절되지 않게 하는 것이 「응용연산」에서 기대하는 가장 큰 목표입니다.

「응용연산」을 통해 아이들이 왜 연산을 해야 하는지 스스로 느낄 수 있을 것이라 자신합니다. 이제 연산은 '원리'나 '연습'이 아닌 스스로 문제를 해결할 수 있는 '응용력'입니다.

응용연산의 구성과 특징

- 매일 부담없이 4쪽씩 연산 학습
- 매주 4일간 단계별 연산 학습과 응용 문제를 통한 연산 실력 확인
- 매주 1일 형성평가로 테스트 및 복습

주차별 구성

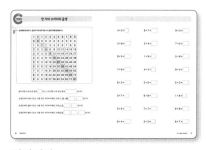

원리연산
대표 문제를 통해 학습하는 매일 새로운 단계별 연산 학습

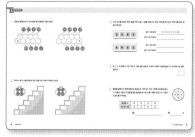

응용연산
기본 문제와 응용 문제를 통한 응용력과 문제해결력 증진

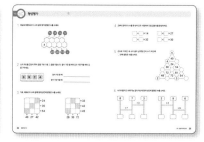

형성평가
가장 중요한 유형을 다시 한번 복습하며 주차 학습 마무리

1주차	1일	2일	3일	4일	5일
	6쪽 ~ 9쪽	10쪽 ~ 13쪽	14쪽 ~ 17쪽	18쪽 ~21쪽	22쪽 ~ 24쪽

2주차	1일	2일	3일	4일	5일
	26쪽 ~ 29쪽	30쪽 ~ 33쪽	34쪽 ~ 37쪽	38쪽 ~41쪽	42쪽 ~ 44쪽

3주차	1일	2일	3일	4일	5일
	46쪽 ~ 49쪽	50쪽 ~ 53쪽	54쪽 ~ 57쪽	58쪽 ~61쪽	62쪽 ~ 64쪽

4주차	1일	2일	3일	4일	5일
	66쪽 ~ 69쪽	70쪽 ~ 73쪽	74쪽 ~ 77쪽	78쪽 ~81쪽	82쪽 ~ 84쪽

정답 및 해설

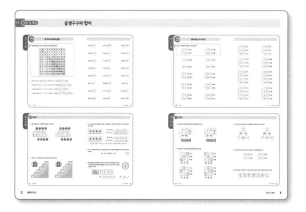

문제와 답을 한눈에 볼 수 있습니다.

이 책의 차례

1주차

곱셈구구와 합차

곱셈과 덧셈, 뺄셈이 함께 있는 계산

한 자리 수끼리의 곱셈

개념
원리

곱셈표를 완성하고, 곱셈구구와 0과 어떤 수의 곱에 대해 알아봅시다.

×	0	1	2	3	4	5	6	7	8	9
0	0	0	0	0	0	0	0	0	0	0
1	0	1	2	3	4	5	6	7	8	9
2	0	2	4	6	8	10	12	14	16	18
3	0	3	6	9	12	15	18	21	24	27
4	0	4	8	12	16	20	24	28	32	36
5	0	5	10	15	20	25	30	35	40	45
6	0	6	12	18	24	30	36	42	48	54
7	0	7	14	21	28	35	42	49	56	63
8	0	8	16	24	32	40	48	56	64	72
9	0	9	18	27	36	45	54	63	72	81

0과 어떤 수의 곱은 항상 ☐ 이고, 1과 어떤 수의 곱은 항상 ☐ 입니다.

곱셈표에서 1번 나오는 수를 작은 수부터 차례로 쓰면 1, 25, 49, ☐ , ☐ 입니다.

곱셈표에서 3번 나오는 수를 작은 수부터 차례로 쓰면 4, 9, ☐ , ☐ 입니다.

곱셈표에서 4번 나오는 수를 작은 수부터 차례로 쓰면 6, 8, ☐ , ☐ , ☐ 입니다.

$4 \times 2 =$ ☐

$6 \times 7 =$ ☐

$9 \times 3 =$ ☐

$2 \times 8 =$ ☐

$3 \times 4 =$ ☐

$7 \times 5 =$ ☐

$8 \times 5 =$ ☐

$1 \times 9 =$ ☐

$5 \times 6 =$ ☐

$7 \times 9 =$ ☐

$4 \times 8 =$ ☐

$9 \times 4 =$ ☐

$6 \times 3 =$ ☐

$2 \times 5 =$ ☐

$5 \times 3 =$ ☐

$0 \times 7 =$ ☐

$8 \times 8 =$ ☐

$1 \times 6 =$ ☐

$5 \times 5 =$ ☐

$7 \times 7 =$ ☐

$9 \times 9 =$ ☐

$6 \times 4 =$ ☐

$3 \times 3 =$ ☐

$8 \times 7 =$ ☐

1 화살표 방향으로 두 수의 곱에 맞게 알맞은 수를 쓰세요.

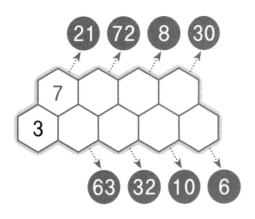

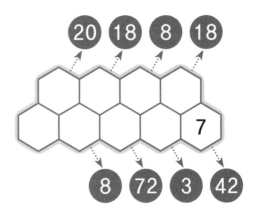

2 주머니 속 두 수를 곱하여 나온 수를 작은 수부터 차례로 쓰세요.

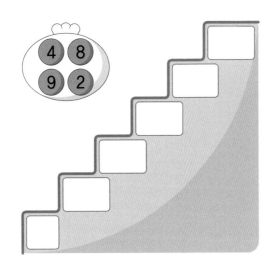

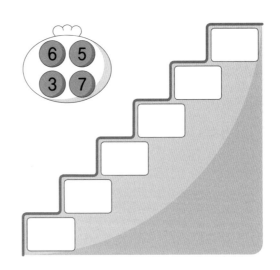

3 숫자 카드를 2장씩 묶어 곱을 구한 다음 그 곱을 더합니다. 합이 가장 클 때의 값과 가장 작을 때의 값을 구하세요.

합이 가장 클 때: $5 \times 8 + 2 \times 3 = 46$

합이 가장 작을 때:

합이 가장 클 때:

합이 가장 작을 때:

4 4, 7, 2, 9 중에서 서로 다른 두 수를 곱한 값을 큰 수부터 차례로 나열하였습니다. 네 번째 수는 얼마일까요?

5 원판을 돌렸다가 멈추었을 때, 화살표가 가리키는 곳의 수만큼 점수를 얻습니다. 다음은 지웅이가 원판을 9번 돌렸을 때 나온 수를 기록한 표입니다. 지웅이의 점수를 구하세요.

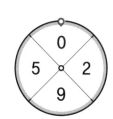

원판의 수	0	2	5	9
나온 횟수(번)	4	3	0	2

식 _____   답 _____ 점

곱에 맞는 두 수 찾기

 곱셈구구를 이용하여 곱에 맞는 두 수를 찾아봅시다.

$\boxed{3} \times \boxed{7} = 21$
$\boxed{7} \times \boxed{3} = 21$

$\boxed{6} \times \boxed{8} = 48$
$\boxed{8} \times \boxed{6} = 48$

$\boxed{} \times \boxed{} = 49$

$\boxed{} \times \boxed{} = 25$

$\boxed{} \times \boxed{} = 64$

$\boxed{} \times \boxed{} = 81$

$\boxed{} \times \boxed{} = 35$
$\boxed{} \times \boxed{} = 35$

$\boxed{} \times \boxed{} = 54$
$\boxed{} \times \boxed{} = 54$

$\boxed{} \times \boxed{} = 40$
$\boxed{} \times \boxed{} = 40$

$\boxed{} \times \boxed{} = 63$
$\boxed{} \times \boxed{} = 63$

$\boxed{} \times \boxed{} = 56$
$\boxed{} \times \boxed{} = 56$

$\boxed{} \times \boxed{} = 72$
$\boxed{} \times \boxed{} = 72$

$$\square \times \square = 9$$
$$\square \times \square = 9$$
$$\square \times \square = 9$$

$$\square \times \square = 4$$
$$\square \times \square = 4$$
$$\square \times \square = 4$$

$$\square \times \square = 16$$
$$\square \times \square = 16$$
$$\square \times \square = 16$$

$$\square \times \square = 36$$
$$\square \times \square = 36$$
$$\square \times \square = 36$$

$$\square \times \square = 8$$
$$\square \times \square = 8$$
$$\square \times \square = 8$$
$$\square \times \square = 8$$

$$\square \times \square = 24$$
$$\square \times \square = 24$$
$$\square \times \square = 24$$
$$\square \times \square = 24$$

$$\square \times \square = 12$$
$$\square \times \square = 12$$
$$\square \times \square = 12$$
$$\square \times \square = 12$$

$$\square \times \square = 18$$
$$\square \times \square = 18$$
$$\square \times \square = 18$$
$$\square \times \square = 18$$

1 가로, 세로로 두 수의 곱에 맞게 상자 안의 수를 빈칸에 쓰세요.

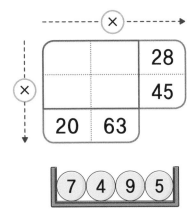

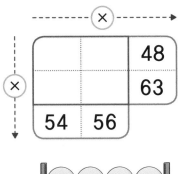

2 가로, 세로로 두 수의 곱에 맞게 빈칸에 알맞은 수를 쓰세요.

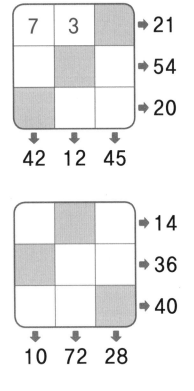

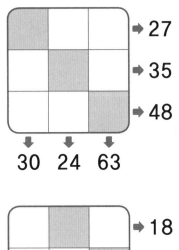

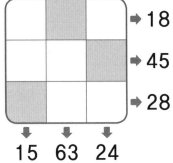

3 ○ 안의 수는 선으로 이어진 두 수의 곱입니다. 빈 곳에 알맞은 수를 쓰세요.

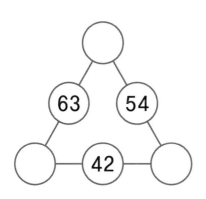

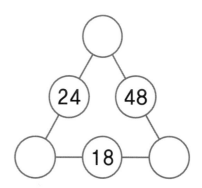

4 2부터 9까지의 수를 한 번씩 모두 사용하여 다음 곱셈식을 완성하세요.

$\boxed{} \times \boxed{} = 12$ $\boxed{} \times \boxed{} = 28$

$\boxed{} \times \boxed{} = 24$ $\boxed{} \times \boxed{} = 45$

5 다음은 일정한 규칙에 따라 두 수를 곱한 계산 결과를 쓴 것입니다. 빈칸에 알맞은 수를 쓰세요.

$\boxed{9}$ $\boxed{16}$ $\boxed{21}$ $\boxed{24}$ $\boxed{}$ $\boxed{24}$ $\boxed{}$ ……

211 세 수의 곱셈

개념
원리

세 수의 곱셈을 알아봅시다.

$$3 \times 2 \times 3 = \boxed{6} \times 3 = \boxed{18}$$

$$3 \times 2 \times 3 = \boxed{9} \times 2 = \boxed{18}$$

세 수의 곱을 구할 때에는 순서에 상관없이
두 수의 곱을 구한 다음 나머지 수를 곱합니다.

$$3 \times 2 \times 3 = 3 \times \boxed{6} = \boxed{18}$$

$4 \times 2 \times 5 = \boxed{} \times 5 = \boxed{}$

$3 \times 3 \times 8 = \boxed{} \times 8 = \boxed{}$

$2 \times 6 \times 2 = \boxed{} \times 6 = \boxed{}$

$3 \times 7 \times 2 = \boxed{} \times 7 = \boxed{}$

$7 \times 2 \times 4 = 7 \times \boxed{} = \boxed{}$

$6 \times 3 \times 3 = 6 \times \boxed{} = \boxed{}$

$1 \times 8 \times 9 = \boxed{} \times 9 = \boxed{}$

$4 \times 5 \times 0 = 4 \times \boxed{} = \boxed{}$

$9 \times 4 \times 2 = 9 \times \boxed{} = \boxed{}$

$2 \times 5 \times 3 = \boxed{} \times 5 = \boxed{}$

$4 \times 2 \times 7 =$ ☐ $3 \times 8 \times 3 =$ ☐ $2 \times 3 \times 4 =$ ☐

$8 \times 2 \times 3 =$ ☐ $9 \times 1 \times 7 =$ ☐ $4 \times 4 \times 2 =$ ☐

$2 \times 7 \times 2 =$ ☐ $6 \times 3 \times 3 =$ ☐ $3 \times 5 \times 2 =$ ☐

$9 \times 1 \times 5 =$ ☐ $4 \times 5 \times 2 =$ ☐ $7 \times 3 \times 3 =$ ☐

$7 \times 3 \times 2 =$ ☐ $8 \times 2 \times 2 =$ ☐ $6 \times 2 \times 3 =$ ☐

$3 \times 5 \times 3 =$ ☐ $5 \times 4 \times 2 =$ ☐ $8 \times 9 \times 1 =$ ☐

$1 \times 9 \times 6 =$ ☐ $3 \times 7 \times 2 =$ ☐ $9 \times 3 \times 3 =$ ☐

$3 \times 9 \times 3 =$ ☐ $8 \times 0 \times 8 =$ ☐ $7 \times 1 \times 6 =$ ☐

1 빈칸에 알맞은 수를 쓰세요.

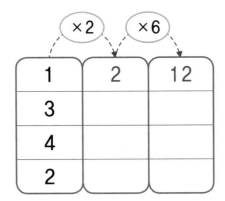

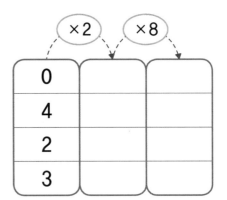

2 선으로 이어진 세 수의 곱이 삼각형 안의 수가 되도록 ◯ 안에 알맞은 수를 쓰세요.

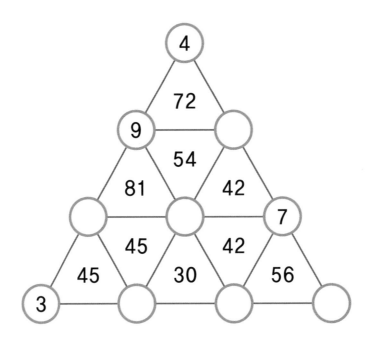

3 사다리를 타고 내려가는 길의 계산에 맞게 빈칸에 알맞은 수를 쓰세요.

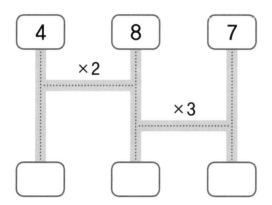

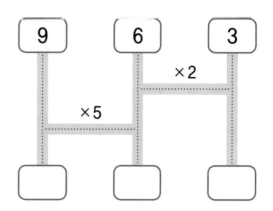

4 주영이는 사탕이 3개씩 들어있는 봉지를 3개 가지고 있습니다. 민호는 주영이가 가진 사탕의 2배를 가지고 있습니다. 민호가 가진 사탕은 몇 개일까요?

식 _____ 답 _____ 개

5 민준이는 매일 우유를 3컵씩 2번 마십니다. 민준이가 일주일 동안 마신 우유는 모두 몇 컵일까요?

식 _____ 답 _____ 컵

곱셈구구와 합차

개념
원리

곱셈과 덧셈, 뺄셈이 섞여있는 계산을 알아봅시다.

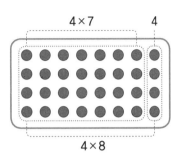

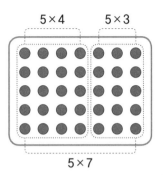

$$4 \times 7 + 4 = 4 \times \boxed{8} = \boxed{32}$$

4씩 7묶음에 4를 더하면 4씩 8묶음이 됩니다.

$$5 \times 4 + 5 \times 3 = 5 \times \boxed{7} = \boxed{35}$$

5씩 4묶음과 5씩 3묶음을 더하면 5씩 7묶음이 됩니다.
곱셈과 덧셈, 뺄셈이 섞여 있는 식에서는 항상 곱셈을 먼저 계산합니다.

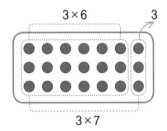

$$3 \times 7 - 3 = 3 \times \boxed{} = \boxed{}$$

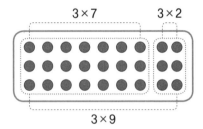

$$3 \times 7 + 3 \times 2 = 3 \times \boxed{} = \boxed{}$$

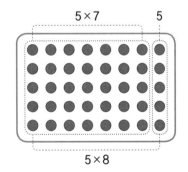

$$5 \times 7 + 5 = 5 \times \boxed{} = \boxed{}$$

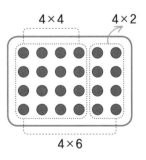

$$4 \times 6 - 4 \times 2 = 4 \times \boxed{} = \boxed{}$$

$7 \times 6 + 7 = 7 \times \boxed{} = \boxed{}$

$6 \times 5 + 6 \times 3 = 6 \times \boxed{} = \boxed{}$

$8 \times 4 - 8 = 8 \times \boxed{} = \boxed{}$

$5 \times 6 - 5 \times 2 = 5 \times \boxed{} = \boxed{}$

$4 \times 8 + 4 = 4 \times \boxed{} = \boxed{}$

$9 \times 3 + 9 \times 4 = 9 \times \boxed{} = \boxed{}$

$3 \times 7 - 3 = 3 \times \boxed{} = \boxed{}$

$7 \times 5 - 7 \times 3 = 7 \times \boxed{} = \boxed{}$

$6 \times 6 + 6 = 6 \times \boxed{} = \boxed{}$

$2 \times 4 + 2 \times 5 = 2 \times \boxed{} = \boxed{}$

$9 \times 6 - 9 = 9 \times \boxed{} = \boxed{}$

$8 \times 7 - 8 \times 3 = 8 \times \boxed{} = \boxed{}$

$7 \times 7 + 7 = 7 \times \boxed{} = \boxed{}$

$4 \times 5 + 4 \times 4 = 4 \times \boxed{} = \boxed{}$

$8 \times 5 - 8 = 8 \times \boxed{} = \boxed{}$

$6 \times 8 - 6 \times 5 = 6 \times \boxed{} = \boxed{}$

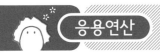

1 약속에 맞게 계산하세요.

5 ■ 8 = ☐

7 ■ 4 = ☐

6 ◐ 7 = ☐

8 ◐ 8 = ☐

2 다음과 같이 '배'와 '반'을 이용하여 곱셈을 하세요.

반
$18 \times 3 = 9 \times 6 = 54$
배

$16 \times 2 = \boxed{8} \times \boxed{} = \boxed{}$

$14 \times 3 = \boxed{} \times \boxed{} = \boxed{}$

$12 \times 4 = \boxed{} \times \boxed{} = \boxed{}$

$18 \times 4 = \boxed{} \times \boxed{} = \boxed{}$

3 계산 결과가 다른 하나를 찾아 ✕표 하세요.

$8×6+8$	$8×7$	$8×9-8$
$8×5+8×2$		$8×9-8×2$

$5×6+5$	$5×6$	$5×7-5$
$5×3+5×3$		$5×8-5×2$

4 ★을 8배 한 수에서 ★을 세 번 뺀 값이 40과 같습니다. ★은 얼마일까요?

 ★ = ☐

5 과일 가게에서 사과와 참외를 한 상자에 6개씩 담아서 팔고 있습니다. 아버지께서 사과 4상자와 참외 3상자를 사오셨습니다. 아버지께서 사오신 과일은 모두 몇 개일까요?

 식 _____   답 _____ 개

1 화살표 방향으로 두 수의 곱에 맞게 알맞은 수를 쓰세요.

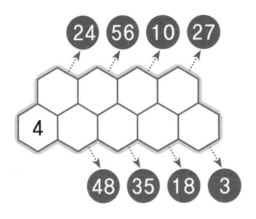

2 숫자 카드를 2장씩 묶어 곱을 구한 다음 그 곱을 더합니다. 합이 가장 클 때의 값과 가장 작을 때의 값을 구하세요.

3 9 7 4

합이 가장 클 때: _____

합이 가장 작을 때: _____

3 가로, 세로로 두 수의 곱에 맞게 빈칸에 알맞은 수를 쓰세요.

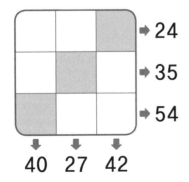

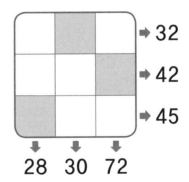

4 2부터 9까지의 수를 한 번씩 모두 사용하여 다음 곱셈식을 완성하세요.

$\boxed{} \times \boxed{} = 14$ $\boxed{} \times \boxed{} = 27$

$\boxed{} \times \boxed{} = 32$ $\boxed{} \times \boxed{} = 30$

5 선으로 이어진 세 수의 곱이 삼각형 안의 수가 되도록
   ◯ 안에 알맞은 수를 쓰세요.

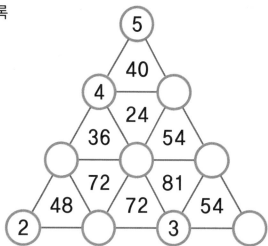

6 사다리를 타고 내려가는 길의 계산에 맞게 빈칸에 알맞은 수를 쓰세요.

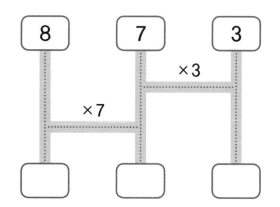

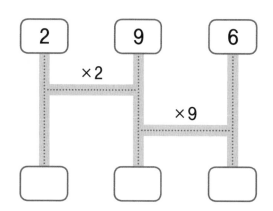

7 주영이는 사탕이 **4**개씩 들어있는 상자를 **3**개 가지고 있습니다. 민호는 주영이가 가진 사탕의 **3**배를 가지고 있습니다. 민호가 가진 사탕은 몇 개일까요?

식 _____   답 _____ 개

8 다음과 같이 '배'와 '반'을 이용하여 곱셈을 하세요.

14 × 4 = ☐ × ☐ = ☐   12 × 3 = ☐ × ☐ = ☐

9 ★을 **9**배 한 수에서 ★을 두 번 뺀 값이 **42**와 같습니다. ★은 얼마일까요?   ★ = ☐

곱셈구구의 활용

곱셈구구로 여러 가지 문제 해결하기

모양의 개수

 모양의 개수를 곱셈과 덧셈, 뺄셈을 이용하여 구해 봅시다.

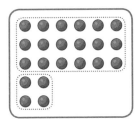

$$3 \times \boxed{6} + 2 \times \boxed{2}$$

$$= \boxed{22}$$

$$5 \times \boxed{2} + 3 \times \boxed{4}$$

$$= \boxed{22}$$

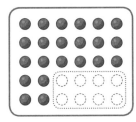

$$5 \times \boxed{6} - 2 \times \boxed{4}$$

$$= \boxed{22}$$

구슬을 묶는 방법에 따라 개수를 구하는 방법도 달라집니다.

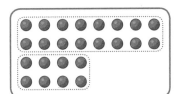

$$2 \times \boxed{} + 2 \times \boxed{}$$

$$= \boxed{}$$

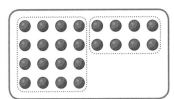

$$4 \times \boxed{} + 2 \times \boxed{}$$

$$= \boxed{}$$

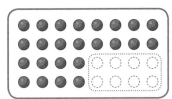

$$4 \times \boxed{} - 2 \times \boxed{}$$

$$= \boxed{}$$

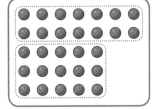

$$2 \times \boxed{} + 3 \times \boxed{}$$

$$= \boxed{}$$

$$5 \times \boxed{} + 2 \times \boxed{}$$

$$= \boxed{}$$

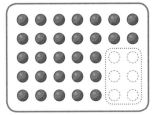

$$5 \times \boxed{} - 3 \times \boxed{}$$

$$= \boxed{}$$

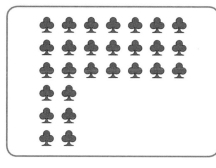

$3 \times \boxed{} + 3 \times \boxed{} = \boxed{}$

$6 \times \boxed{} + 3 \times \boxed{} = \boxed{}$

$6 \times \boxed{} - \boxed{} \times \boxed{} = \boxed{}$

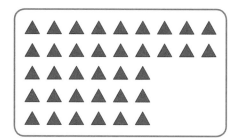

$2 \times \boxed{} + 3 \times \boxed{} = \boxed{}$

$5 \times \boxed{} + 2 \times \boxed{} = \boxed{}$

$5 \times \boxed{} - \boxed{} \times \boxed{} = \boxed{}$

$4 \times \boxed{} + 2 \times \boxed{} = \boxed{}$

$6 \times \boxed{} + 4 \times \boxed{} = \boxed{}$

$6 \times \boxed{} - \boxed{} \times \boxed{} = \boxed{}$

$2 \times \boxed{} + 5 \times \boxed{} = \boxed{}$

$7 \times \boxed{} + 2 \times \boxed{} = \boxed{}$

$7 \times \boxed{} - \boxed{} \times \boxed{} = \boxed{}$

1 모양의 개수를 구하는 식을 찾아 선으로 이으세요.

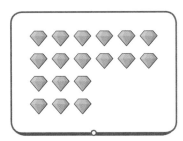 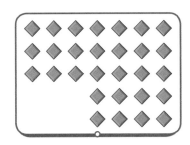 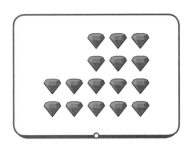

$4 \times 5 - 2 \times 2$ $4 \times 3 + 2 \times 3$ $3 \times 7 + 2 \times 4$

2 공은 몇 개일까요?

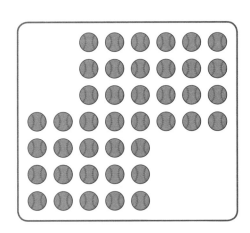

[ ] 개   [ ] 개

3 간단하게 계산하세요.

$4+4+4+4+4+4+6=4\times\boxed{}+6=\boxed{}$

$9+9+9+9+9-5=9\times\boxed{}-5=\boxed{}$

$7+2+7+2+7+2=7\times\boxed{}+2\times\boxed{}=\boxed{}$

$6-1+6-1+6-1+6-1+6-1=\boxed{}\times5-\boxed{}=\boxed{}$

4 사탕의 개수를 구하는 식으로 맞지 않는 것에 ✕표 하세요.

$9\times9-4\times5$

$2\times9+4\times4+3\times9$

$2\times9+7\times4-4\times5$

$2\times9+7\times9-4\times5$

$2\times5+6\times4+3\times9$

곱셈, 덧셈, 뺄셈이 있는 혼합계산

개념
원리

숫자 카드를 한 번씩 모두 사용하여 계산 결과에 맞는 식을 만들어 봅시다.

| 2 | 3 | 4 |

$2 \times 3 + 4 = 10$　　　　$2 \times 3 - 4 = 2$

$4 \times 3 + 2 = 14$　　　　$4 \times 2 - 3 = 5$

$4 \times (3 + 2) = 20$　　　$4 \times (3 - 2) = 4$

곱셈과 덧셈, 뺄셈이 섞여 있는 식에서는 항상 곱셈을 먼저 계산합니다. ( )가 있는 식에서는 ( )안을 먼저 계산합니다.

| 2 | 4 | 5 |

$\square \times \square + \square = 13$　　　$\square \times \square - \square = 18$

$\square \times \square + \square = 14$　　　$\square \times \square - \square = 3$

$\square \times (\square + \square) = 18$　　$\square \times (\square - \square) = 10$

| 3 | 6 | 7 |

$\square \times \square + \square = 45$　　　$\square \times \square - \square = 15$

$\square \times \square + \square = 25$　　　$\square \times \square - \square = 39$

$\square \times (\square + \square) = 63$　　$\square \times (\square - \square) = 3$

| 3 | 7 | 5 |

$\square \times \square + \square = 22$

$\square \times \square - \square = 16$

| 4 | 5 | 6 |

$\square \times \square + \square = 26$

$\square \times \square - \square = 26$

| 8 | 4 | 9 |

$\square \times (\square - \square) = 36$

$\square \times (\square - \square) = 4$

| 5 | 2 | 7 |

$\square \times (\square + \square) = 49$

$\square \times (\square - \square) = 4$

| 8 | 6 | 2 |

$\square \times \square + \square = 50$

$\square \times \square - \square = 10$

| 3 | 9 | 4 |

$\square \times \square + \square = 21$

$\square \times \square - \square = 23$

| 9 | 2 | 8 |

$\square \times \square + \square = 25$

$\square \times \square - \square = 10$

| 7 | 4 | 3 |

$\square \times \square + \square = 25$

$\square \times \square - \square = 25$

1 주어진 수를 한 번씩 모두 사용하여 올바른 식을 만들려고 합니다. 빈칸에 올바른 수를 쓰세요.

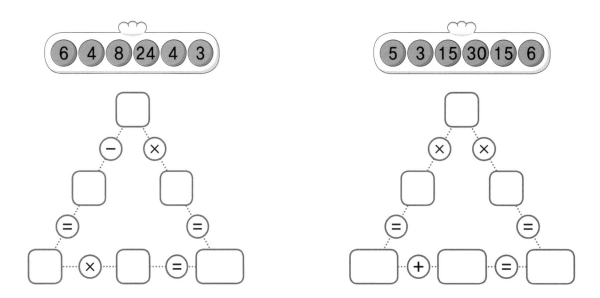

2 다음과 같이 연산 기호에 맞게 빈칸에 모두 다른 한 자리 수를 쓰세요.

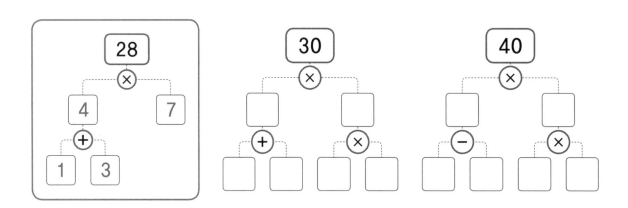

3 같은 모양은 같은 수, 다른 모양은 다른 수를 나타냅니다. 각 모양이 나타내는 수를 구하세요.

★ × ◆ = 16

★ − ◆ = 6

★ = ☐ , ◆ = ☐

● × ⬠ = 35

● − ⬠ = 2

● = ☐ , ⬠ = ☐

4 연지의 나이는 9살입니다. 어머니의 나이는 연지 나이의 5배보다 4살 적습니다. 어머니의 나이는 몇 살일까요?

식 _____ 답 _____ 살

5 지호는 한 묶음에 8송이씩 5묶음의 장미를 가지고 있었습니다. 그중에서 7송이를 동생에게 주었습니다. 지호에게 남은 장미는 몇 송이일까요?

식 _____ 답 _____ 송이

어떤 수 구하기

개념
원리

어떤 수를 구해 봅시다.

어떤 수와 7의 곱에 6을 더했더니 41이 되었습니다. 어떤 수는 얼마일까요?

$$\boxed{} \times \boxed{7} + \boxed{6} = 41, \quad \boxed{} = \boxed{5}$$

35

41

어떤 수를 □라 하여 식을 세운 다음 계산 과정을 거꾸로 생각하여 어떤 수를 구합니다.

6에 어떤 수를 곱한 후 4를 뺐더니 26이 되었습니다.
어떤 수는 얼마일까요?

$$\boxed{} \times \boxed{} - \boxed{} = 26$$

$$\boxed{} = \boxed{}$$

어떤 수와 9의 곱에서 8을 뺐더니 64가 되었습니다.
어떤 수는 얼마일까요?

$$\boxed{} \times \boxed{} - \boxed{} = 64$$

$$\boxed{} = \boxed{}$$

9에 어떤 수를 곱한 후 7을 더했더니 61이 되었습니다.
어떤 수는 얼마일까요?

$$\boxed{} \times \boxed{} + \boxed{} = 61$$

$$\boxed{} = \boxed{}$$

어떤 수와 5의 곱에서 8을 뺐더니 32가 되었습니다.
어떤 수는 얼마일까요?

$$\boxed{} \times \boxed{} - \boxed{} = 32$$

$$\boxed{} = \boxed{}$$

$\square \times 6 + 5 = 29$

$\square \times 7 - 9 = 47$

$2 \times \square + 3 = 17$

$4 \times \square - 8 = 12$

$7 \times 6 + \square = 51$

$3 \times 2 - \square = 5$

$\square \times 2 + 5 = 13$

$\square \times 8 - 4 = 36$

$9 \times \square + 3 = 66$

$6 \times \square - 1 = 35$

$4 \times 5 + \square = 26$

$3 \times 8 - \square = 22$

$\square \times 1 + 7 = 16$

$\square \times 9 - 6 = 39$

$8 \times \square + 3 = 43$

$4 \times \square - 2 = 30$

1 빈칸에 알맞은 수를 쓰세요.

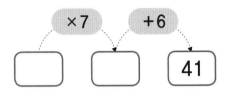

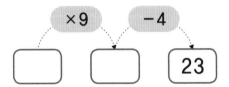

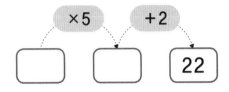

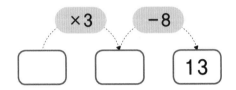

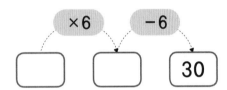

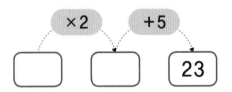

2 ☐ 안에는 같은 수가 들어갑니다. ☐ 안에 알맞은 수를 쓰세요.

$7 \times \boxed{} = \boxed{} + 30$

$40 - \boxed{} = 4 \times \boxed{}$

$\boxed{} + 45 = \boxed{} \times 6$

$\boxed{} \times 5 = 36 - \boxed{}$

$8 \times \boxed{} = 49 + \boxed{}$

$20 - \boxed{} = \boxed{} \times 9$

3 같은 모양은 같은 수, 다른 모양은 다른 수를 나타냅니다. ★은 얼마일까요?

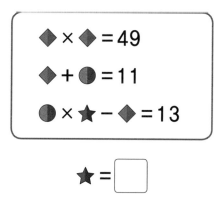

★ = ⬚

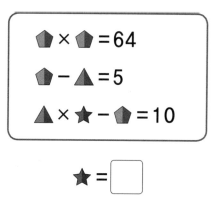

★ = ⬚

4 어떤 수에 4를 곱한 후 7을 더하면 31이 됩니다. 어떤 수를 ⬚라 하여 식을 세우고 어떤 수를 구하세요.

식 _____   ⬚ = _____

5 구슬이 5개씩 들어있는 주머니가 모두 8개 있습니다. 각 주머니에서 구슬을 1개씩 꺼내면 주머니에 들어있는 구슬은 모두 몇 개일까요?

식 _____   답 _____ 개

연속수의 합

개념
원리

1, 2, 3과 같이 차례로 나열되어 있는 수를 연속수라고 합니다. 연속수의 합을 알아봅시다.

$$4+5+6+7+8=6+6+6+6+6=6\times\boxed{5}=\boxed{30}$$
중앙수

연속수의 개수가 홀수 개일 때는 같은 수를 더하고 빼서 중앙수의 합으로 만듭니다.

$$1+2+3+4+5+6=7+7+7=7\times\boxed{3}=\boxed{21}$$

연속수의 개수가 짝수 개일 때는 합이 같은 두 수씩 짝을 지어 총합을 구합니다.

<연속수의 개수가 홀수 개>

$$3+\boxed{4}+5=4+4+4=4\times\boxed{}=\boxed{}$$
중앙수

$$2+3+4+5+6=4+4+4+4+4=4\times\boxed{}=\boxed{}$$

$$3+4+5+6+7=\boxed{}+\boxed{}+\boxed{}+\boxed{}+\boxed{}=\boxed{}\times\boxed{}=\boxed{}$$

<연속수의 개수가 짝수 개>

$$1+2+3+4=5+5=5\times\boxed{}=\boxed{}$$

$$3+4+5+6=9+9=9\times\boxed{}=\boxed{}$$

$$2+3+4+5+6+7=\boxed{}+\boxed{}+\boxed{}=9\times\boxed{}=\boxed{}$$

$7+8+9=\boxed{}\times\boxed{}=\boxed{}$

$1+2+3+4+5=\boxed{}\times\boxed{}=\boxed{}$

$2+3+4+5=\boxed{}\times\boxed{}=\boxed{}$

$5+6+7+8+9=\boxed{}\times\boxed{}=\boxed{}$

$1+2+3+4+5+6=\boxed{}\times\boxed{}=\boxed{}$

$2+3+4+5+6+7+8=\boxed{}\times\boxed{}=\boxed{}$

$1+2+3+4+5+6+7+8=\boxed{}\times\boxed{}=\boxed{}$

$1+2+3+4+5+6+7+8+9=\boxed{}\times\boxed{}=\boxed{}$

1 다음은 연속수의 덧셈식입니다. ☐ 안에 알맞은 수를 쓰세요.

$$\boxed{} + \underset{\text{중앙수}}{\boxed{}} + \boxed{} = \underset{\text{중앙수}}{\boxed{}} \times 3 = 12$$

$$\boxed{} + \underset{\text{두 수의 합}}{\boxed{} + \boxed{}} + \boxed{} = \underset{\text{두 수의 합}}{\boxed{}} \times 2 = 18$$
두 수의 합

$$\boxed{} + \boxed{} + \boxed{} + \boxed{} + \boxed{} = \boxed{} \times 5 = 20$$

$$\boxed{} + \boxed{} + \boxed{} + \boxed{} + \boxed{} + \boxed{} = \boxed{} \times 3 = 21$$

2 다음과 같이 수를 배열한 표가 있습니다. 색칠된 칸의 수를 모두 더하면 얼마일까요? 곱셈을 이용한 식으로 나타내세요.

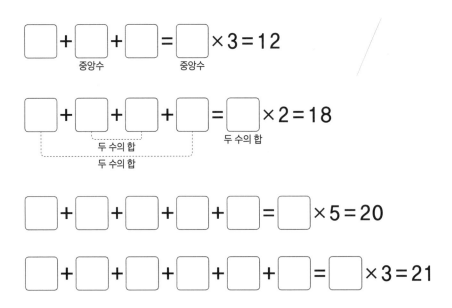

1	2	3	4	5
6	7	8	9	10
11	12	13	14	15
16	17	18	19	20
21	22	23	24	25

1	2	3	4	5
6	7	8	9	10
11	12	13	14	15
16	17	18	19	20
21	22	23	24	25

$$\boxed{} \times \boxed{} = \boxed{}$$

$$\boxed{} \times \boxed{} = \boxed{}$$

3 달력에 색칠된 날짜의 합을 구하세요.

일	월	화	수	목	금	토
	1	2	3	4	5	6
7	8	9	10	11	12	13
14	15	16	17	18	19	20
21	22	23	24	25	26	27
28	29	30	31			

일	월	화	수	목	금	토
					1	2
3	4	5	6	7	8	9
10	11	12	13	14	15	16
17	18	19	20	21	22	23
24	25	26	27	28	29	30

일	월	화	수	목	금	토
1	2	3	4	5	6	7
8	9	10	11	12	13	14
15	16	17	18	19	20	21
22	23	24	25	26	27	28
29	30	31				

일	월	화	수	목	금	토
				1	2	3
4	5	6	7	8	9	10
11	12	13	14	15	16	17
18	19	20	21	22	23	24
25	26	27	28	29	30	

4 윤정이는 월요일부터 일요일까지 일주일 동안 매일 줄넘기를 하기로 하였습니다. 줄넘기를 하는 일주일 동안의 날짜의 합이 **42**일 때, 월요일은 며칠일까요?

_____ 일

1 다음은 사탕의 개수를 구하는 식입니다. ☐ 안에 알맞은 수를
쓰세요.

$$\boxed{} \times 6 + 4 \times \boxed{} = \boxed{}$$

2 간단하게 계산하세요.

$$8-2+8-2+8-2+8-2+8-2 = \boxed{} \times 5 - 2 \times \boxed{} = \boxed{}$$

$$7-3+4+7-3+4+7-3+4 = \boxed{} \times 3 - 3 \times \boxed{} + 4 \times \boxed{} = \boxed{}$$

3 주어진 수를 올바른 식이 되도록 빈칸에 쓰세요.

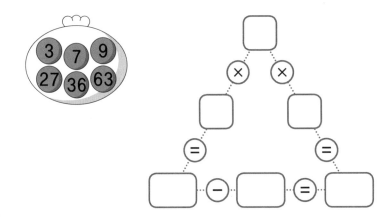

4 태영이는 한 묶음에 **5**장씩 **9**묶음의 카드를 가지고 있었습니다. 그중에서 카드 **7**장을 친구에게 주었습니다. 태영이에게 남은 카드는 몇 장일까요?

식 _____   답 _____ 장

5 빈칸에 알맞은 수를 쓰세요.

6 같은 모양은 같은 수, 다른 모양은 다른 수를 나타냅니다. ★은 얼마일까요?

$$\text{⬟} \times \text{⬟} = 81$$

$$\text{⬟} - \text{◖} = 2$$

$$\text{◖} \times \text{★} - \text{⬟} = 47$$

★ = ☐

7 어떤 수에 6을 곱한 후 3을 빼면 39가 됩니다. 어떤 수는 얼마일까요?

식 _____   □ = _____

8 다음은 연속수의 덧셈식입니다. □ 안에 알맞은 수를 쓰세요.

□ + □ + □ = 27

□ + □ + □ + □ + □ = 25

9 달력에 색칠된 날짜의 합을 구하세요.

일	월	화	수	목	금	토
	1	2	3	4	5	6
7	8	9	10	11	12	13
14	15	16	17	18	19	20
21	22	23	24	25	26	27
28	29	30	31			

나눗셈구구

나눗셈의 원리와 나눗셈구구

나눗셈의 원리

그림을 보고 나눗셈을 알아봅시다.

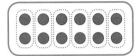

$$12 \div \boxed{2} = \boxed{6}$$

12를 2씩 묶으면 6묶음이 됩니다. 이것을 12 ÷ 2 = 6이라고 쓰고 이때 6을 몫이라고 합니다.

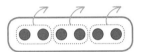

$$6 - \boxed{2} - \boxed{2} - \boxed{2} = 0 \;\Rightarrow\; 6 \div \boxed{2} = \boxed{3}$$

6에서 2씩 3번 빼면 0이 됩니다. 이것을 6 ÷ 2 = 3이라고 쓰고 이때 3을 몫이라고 합니다.

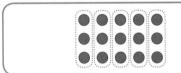

$$15 \div \boxed{} = \boxed{}$$

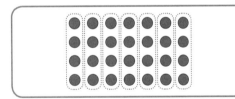

$$28 \div \boxed{} = \boxed{}$$

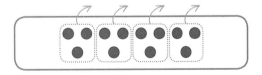

$$12 - \boxed{} - \boxed{} - \boxed{} - \boxed{} = 0$$

$$12 \div \boxed{} = \boxed{}$$

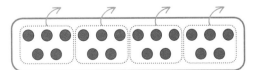

$$20 - \boxed{} - \boxed{} - \boxed{} - \boxed{} = 0$$

$$20 \div \boxed{} = \boxed{}$$

가로, 세로로
한 줄씩 묶고
나눗셈식으로
나타내세요.

21 ÷ ⬚ = ⬚

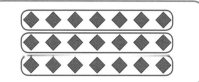

21 ÷ ⬚ = ⬚

27 ÷ ⬚ = ⬚

27 ÷ ⬚ = ⬚

32 ÷ ⬚ = ⬚

32 ÷ ⬚ = ⬚

30 ÷ ⬚ = ⬚

30 ÷ ⬚ = ⬚

1 모양을 3, 4, 6, 8개씩 묶고 나눗셈식으로 나타내세요.

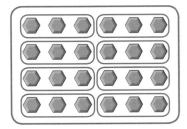

_____

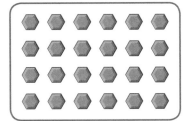

_____

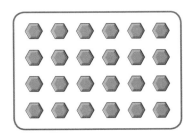

_____

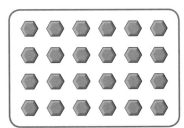

_____

2 나눗셈식은 뺄셈식으로, 뺄셈식은 나눗셈식으로 나타내세요.

$15 \div 3 = 5$ ➡ _____

$25 - 5 - 5 - 5 - 5 - 5 = 0$ ➡ _____

3 □ 안에 알맞은 수를 쓰세요.

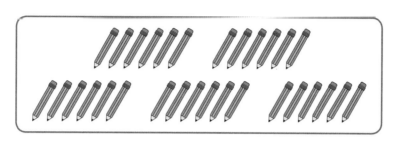

연필 30자루를 5명에게 똑같이 나누어 주면 한 명에게 [ ]자루씩 줄 수 있습니다.

연필 30자루를 한 명에게 [ ]자루씩 주면 5명에게 나누어 줄 수 있습니다.

4 나눗셈식에 맞게 □ 안에 알맞은 수를 쓰세요.

$$24 \div 8 = 3$$

우리 반 24명을 [ ]명씩 한 모둠으로 만들면 모둠이 [ ]개가 됩니다.

$$20 \div 5 = 4$$

귤 [ ]개를 [ ]명에게 똑같이 나누어주면 한 명에게 [ ]개씩 줄 수 있습니다.

곱셈과 나눗셈의 관계

개념
원리

그림을 보고 곱셈식과 나눗셈식을 알아봅시다.

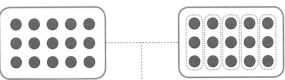

$$15 \div 3 = 5$$

$$3 \times 5 = 15$$

$$5 \times 3 = 15$$

$$15 \div 5 = 3$$

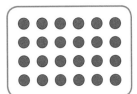

$4 \times \boxed{} = \boxed{}$

$6 \times \boxed{} = \boxed{}$

$24 \div \boxed{} = \boxed{}$

$24 \div \boxed{} = \boxed{}$

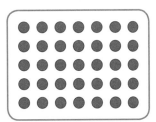

$5 \times \boxed{} = \boxed{}$

$7 \times \boxed{} = \boxed{}$

$35 \div \boxed{} = \boxed{}$

$35 \div \boxed{} = \boxed{}$

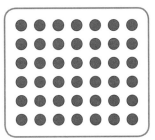

$6 \times \boxed{} = \boxed{}$

$7 \times \boxed{} = \boxed{}$

$42 \div \boxed{} = \boxed{}$

$42 \div \boxed{} = \boxed{}$

8 56 7

$7 \times 8 = 56$

$\square \times \square = \square$

$56 \div 7 = 8$

$\square \div \square = \square$

3 18 6

$\square \times \square = \square$

$\square \times \square = \square$

$\square \div \square = \square$

$\square \div \square = \square$

4 32 8

$\square \times \square = \square$

$\square \times \square = \square$

$\square \div \square = \square$

$\square \div \square = \square$

3 27 9

$\square \times \square = \square$

$\square \times \square = \square$

$\square \div \square = \square$

$\square \div \square = \square$

9 54 6

$\square \times \square = \square$

$\square \times \square = \square$

$\square \div \square = \square$

$\square \div \square = \square$

1 관계있는 것끼리 선으로 이으세요.

곱셈식

$6 \times 4 = 24$

$5 \times 5 = 25$

$7 \times 3 = 21$

나눗셈식

$25 \div 5 = \square$

$21 \div 7 = \square$

$24 \div 6 = \square$

□

5

4

3

2 그림을 보고 곱셈식 2개와 나눗셈식 2개를 쓰세요.

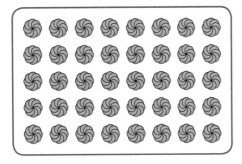

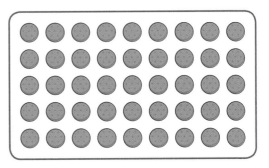

_____

_____

_____

_____

_____

_____

_____

_____

3 곱셈식을 보고 나눗셈식 2개를 쓰세요.

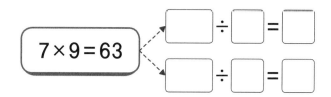

$$7 \times 9 = 63$$

$$\boxed{} \div \boxed{} = \boxed{}$$

$$\boxed{} \div \boxed{} = \boxed{}$$

4 다음과 같이 곱셈 문제를 이용하여 나눗셈 문제를 만들고 문제에 알맞은 곱셈식과 나눗셈식을 쓰세요.

학생들이 한 줄에 8명씩 6줄로 서 있습니다. 학생은 모두 몇 명일까요?

곱셈식: $8 \times 6 = 48$

➡

학생 48명이 한 줄에 8명씩 서면 모두 몇 줄이 될까요?

나눗셈식: $48 \div 8 = 6$

한 대에 5명씩 탄 자동차가 7대 있습니다. 자동차에 탄 사람은 모두 몇 명일까요?

곱셈식:

➡

나눗셈식:

구슬이 9개씩 들어있는 주머니가 4개 있습니다. 구슬은 모두 몇 개일까요?

곱셈식:

➡

나눗셈식:

곱셈으로 나눗셈의 몫 구하기

개념
원리

곱셈식을 이용하여 나눗셈의 몫을 구해 봅시다.

$$6 \times 3 = 18 \qquad\qquad 7 \times 8 = 56$$

$$18 \div 6 = \boxed{3} \qquad\qquad 56 \div 7 = \boxed{8}$$

$$18 \div 3 = \boxed{6} \qquad\qquad 56 \div 8 = \boxed{7}$$

$$6 \times 4 = 24 \qquad 9 \times 8 = 72 \qquad 8 \times 4 = 32$$

$$24 \div 6 = \boxed{} \qquad 72 \div 9 = \boxed{} \qquad 32 \div 8 = \boxed{}$$

$$24 \div 4 = \boxed{} \qquad 72 \div 8 = \boxed{} \qquad 32 \div 4 = \boxed{}$$

$$5 \times 3 = 15 \qquad 2 \times 6 = 12 \qquad 4 \times 5 = 20$$

$$15 \div 5 = \boxed{} \qquad 12 \div 2 = \boxed{} \qquad 20 \div 4 = \boxed{}$$

$$15 \div 3 = \boxed{} \qquad 12 \div 6 = \boxed{} \qquad 20 \div 5 = \boxed{}$$

$$7 \times 6 = 42 \qquad 3 \times 7 = 21 \qquad 6 \times 9 = 54$$

$$42 \div 7 = \boxed{} \qquad 21 \div 3 = \boxed{} \qquad 54 \div 6 = \boxed{}$$

$$42 \div 6 = \boxed{} \qquad 21 \div 7 = \boxed{} \qquad 54 \div 9 = \boxed{}$$

$\square \times 6 = 48$
$48 \div 6 = \square$

$7 \times \square = 63$
$63 \div 7 = \square$

$\square \times 3 = 24$
$24 \div 3 = \square$

$5 \times \square = 20$
$20 \div 5 = \square$

$\square \times 2 = 10$
$10 \div 2 = \square$

$9 \times \square = 54$
$54 \div 9 = \square$

$\square \times 8 = 56$
$56 \div 8 = \square$

$4 \times \square = 12$
$12 \div 4 = \square$

$\square \times 5 = 40$
$40 \div 5 = \square$

$$\begin{array}{r} 8 \\ \times \quad \boxed{4} \\ \hline 3 \quad 2 \end{array} \Rightarrow 8 \overline{)\, \boxed{4} \atop 3 \quad 2}$$

$$\begin{array}{r} 9 \\ \times \quad \square \\ \hline 4 \quad 5 \end{array} \Rightarrow 9 \overline{)\, \square \atop 4 \quad 5}$$

$$\begin{array}{r} \square \\ \times \quad 7 \\ \hline 4 \quad 9 \end{array} \Rightarrow 7 \overline{)\, \square \atop 4 \quad 9}$$

$$\begin{array}{r} \square \\ \times \quad 6 \\ \hline 2 \quad 4 \end{array} \Rightarrow 6 \overline{)\, \square \atop 2 \quad 4}$$

1 계산 결과에 맞게 길을 그리세요.

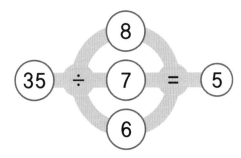

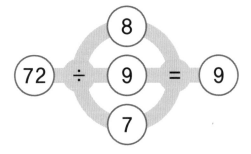

2 계산 결과가 같은 것끼리 선으로 이으세요.

49÷7	30÷6	24÷4

20÷5	28÷4	36÷6

15÷3	14÷2	54÷9

42÷7	21÷3	16÷4

3 나눗셈식 32 ÷ ◆ = ★ 에 대한 설명 중 옳지 않은 것에 ✕표 하세요.

◆ × ★ = 32	32 ÷ ★ = ◆	★이 4이면 ◆은 8
★ + ◆ = 11		★ × ◆ = 32

4 딸기가 35개 있습니다. 한 사람이 5개씩 똑같이 나누어 먹는다면 모두 몇 명이 먹을 수 있을까요?

식 _____   답 _____ 명

5 구슬이 32개 있습니다. 한 주머니에 구슬을 4개씩 담으려고 합니다. 주머니는 몇 개 필요할까요?

식 _____   답 _____ 개

6 54쪽짜리 동화책을 하루에 9쪽씩 매일 읽으려고 합니다. 이 책을 모두 읽으려면 며칠이 걸릴까요?

식 _____   답 _____ 일

나눗셈구구

곱셈구구를 이용하여 나눗셈의 몫을 알아봅시다.

$5 \times 1 = 5$	$5 \times 6 = 30$		$5 \div 5 = 1$	$30 \div 5 = 6$
$5 \times 2 = 10$	$5 \times 7 = 35$	➡	$10 \div 5 = 2$	$35 \div 5 = 7$
$5 \times 3 = 15$	$5 \times 8 = 40$		$15 \div 5 = 3$	$40 \div 5 = 8$
$5 \times 4 = 20$	$5 \times 9 = 45$		$20 \div 5 = 4$	$45 \div 5 = 9$
$5 \times 5 = 25$			$25 \div 5 = 5$	

5의 단 곱셈구구를 이용하여 나누기 5의 몫을 구할 수 있습니다.

$8 \div 8 =$ ☐
$16 \div 8 =$ ☐
$24 \div 8 =$ ☐
$32 \div 8 =$ ☐
$40 \div 8 =$ ☐
$48 \div 8 =$ ☐
$56 \div 8 =$ ☐
$64 \div 8 =$ ☐
$72 \div 8 =$ ☐

$4 \div 4 =$ ☐
$8 \div 4 =$ ☐
$12 \div 4 =$ ☐
$16 \div 4 =$ ☐
$20 \div 4 =$ ☐
$24 \div 4 =$ ☐
$28 \div 4 =$ ☐
$32 \div 4 =$ ☐
$36 \div 4 =$ ☐

$7 \div 7 =$ ☐
$14 \div 7 =$ ☐
$21 \div 7 =$ ☐
$28 \div 7 =$ ☐
$35 \div 7 =$ ☐
$42 \div 7 =$ ☐
$49 \div 7 =$ ☐
$56 \div 7 =$ ☐
$63 \div 7 =$ ☐

$36 \div 6 = \boxed{}$

$15 \div 3 = \boxed{}$

$9 \div 9 = \boxed{}$

$24 \div 8 = \boxed{}$

$8 \div 1 = \boxed{}$

$8 \div 2 = \boxed{}$

$14 \div 7 = \boxed{}$

$12 \div 4 = \boxed{}$

$30 \div 6 = \boxed{}$

$36 \div 9 = \boxed{}$

$45 \div 5 = \boxed{}$

$49 \div 7 = \boxed{}$

$7 \overline{)35}$

$8 \overline{)72}$

$4 \overline{)24}$

$3 \overline{)18}$

$5 \overline{)40}$

$6 \overline{)54}$

$9 \overline{)63}$

$7 \overline{)28}$

$2 \overline{)12}$

1 나눗셈을 하여 빈칸에 알맞은 수를 쓰세요.

÷ ③	
6	
18	
12	

÷ ⑧	
40	
24	
56	

÷ ④	
36	
20	
24	

÷ ⑦	
42	
49	
35	

÷ ⑤	
20	
15	
25	

÷ ⑥	
36	
48	
54	

÷ ②	
16	
14	
18	

÷ ⑨	
63	
45	
27	

÷ ⑧	
48	
16	
32	

2 나눗셈식을 세로 형식으로 쓰고 몫을 구하세요.

$42 \div 6 = \boxed{}$

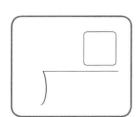

$18 \div 6 = \boxed{}$

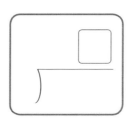

$63 \div 9 = \boxed{}$

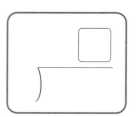

3 몫의 크기를 비교하여 ◯ 안에 **>**, **=**, **<**를 알맞게 쓰세요.

$42 \div 6 \bigcirc 30 \div 5$

$45 \div 9 \bigcirc 24 \div 6$

4 다음 중 식 $24 \div 6$으로 풀 수 있는 문제는 어느 것일까요?

① 24명에게 구슬을 6개씩 나누어 주려면 구슬은 모두 몇 개 필요할까요?

② 사탕 24개가 있습니다. 이 사탕을 한 사람에게 6개씩 나누어 준다면 몇 명에게 나누어 줄 수 있을까요?

③ 색종이 24묶음이 있습니다. 한 묶음이 6장씩이라면 색종이는 모두 몇 장 있을까요?

④ 길이가 24 cm인 끈이 있습니다. 6 cm를 사용하였다면 남은 끈은 몇 cm일까요?

⑤ 공책 24권이 있습니다. 상품으로 6권을 주면 남는 공책은 모두 몇 권일까요?

1 나눗셈식은 뺄셈식으로, 뺄셈식은 나눗셈식으로 나타내세요.

$$36 \div 6 = 6$$ ➡ _____

$$42 - 7 - 7 - 7 - 7 - 7 - 7 = 0$$ ➡ _____

2 ☐ 안에 알맞은 수를 쓰세요.

사탕 27개를 3명에게 똑같이 나누어 주면 한 명에게 ☐ 개씩 줄 수 있습니다.

사탕 27개를 한 명에게 ☐ 개씩 주면 3명에게 나누어 줄 수 있습니다.

3 관계있는 것끼리 선으로 이으세요.

곱셈식	나눗셈식	☐
$4 \times 8 = 32$	$12 \div 2 = \square$	6
$2 \times 6 = 12$	$32 \div 4 = \square$	5
$5 \times 7 = 35$	$35 \div 7 = \square$	8

4 곱셈식을 보고 나눗셈식 2개를 쓰세요.

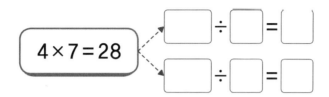

5 계산 결과가 같은 것끼리 선으로 이으세요.

$56 \div 8$	$35 \div 7$	$54 \div 9$

$30 \div 6$	$12 \div 2$	$28 \div 4$

6 곶감이 63개 있습니다. 한 주머니에 곶감을 7개씩 담으려고 합니다. 주머니는 몇 개 필요할까요?

식 _____   답 _____ 개

7 나눗셈을 하여 빈칸에 알맞은 수를 쓰세요.

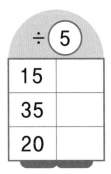

÷ 5	
15	
35	
20	

÷ 9	
63	
45	
81	

÷ 7	
42	
35	
56	

8 나눗셈식을 세로 형식으로 쓰고 몫을 구하세요.

$48 \div 8 = \square$

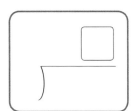

$49 \div 7 = \square$

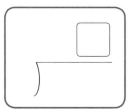

9 몫의 크기를 비교하여 ◯ 안에 >, =, <를 알맞게 쓰세요.

$20 \div 5 \; \bigcirc \; 45 \div 9$

$36 \div 6 \; \bigcirc \; 14 \div 2$

4주차

나눗셈구구의
활용

나눗셈구구로 여러 가지 문제 해결하기

□가 있는 나눗셈구구

□가 있는 나눗셈식에서 □의 값을 곱셈식을 이용하여 구해 봅시다.

$$12 \div \square = 2 \qquad\qquad \square \div 8 = 6$$

➡ $\square \times 2 = 12$ ➡ $8 \times 6 = \square$

$\square = \boxed{6}$ $\qquad\qquad \square = \boxed{48}$

□가 있는 나눗셈식을 곱셈식으로 나타내어 봅니다.

$24 \div \square = 4$

➡ $\square \times 4 = 24$

$\square = \boxed{}$

$\square \div 9 = 5$

➡ $9 \times 5 = \square$

$\square = \boxed{}$

$14 \div \square = 2$

➡ $\square \times 2 = 14$

$\square = \boxed{}$

$28 \div \square = 7$

➡ $\square \times 7 = 28$

$\square = \boxed{}$

$\square \div 7 = 6$

➡ $7 \times 6 = \square$

$\square = \boxed{}$

$15 \div \square = 5$

➡ $\square \times 5 = 15$

$\square = \boxed{}$

$36 \div \square = 4$

➡ $\square \times 4 = 36$

$\square = \boxed{}$

$\square \div 5 = 5$

➡ $5 \times 5 = \square$

$\square = \boxed{}$

$72 \div \square = 9$

➡ $\square \times 9 = 72$

$\square = \boxed{}$

$21 \div \boxed{} = 3$

$\boxed{} \div 9 = 2$

$24 \div \boxed{} = 4$

$30 \div \boxed{} = 5$

$\boxed{} \div 8 = 7$

$42 \div \boxed{} = 6$

$28 \div \boxed{} = 7$

$\boxed{} \div 3 = 6$

$25 \div \boxed{} = 5$

$12 \div \boxed{} = 6$

$\boxed{} \div 8 = 9$

$27 \div \boxed{} = 3$

$63 \div 9 = \boxed{} \div 4$

$\boxed{} \div 5 = 12 \div 3$

$14 \div 7 = \boxed{} \div 8$

$\boxed{} \div 6 = 16 \div 2$

$25 \div 5 = \boxed{} \div 4$

$\boxed{} \div 3 = 72 \div 9$

$12 \div 3 = \boxed{} \div 7$

$\boxed{} \div 8 = 24 \div 6$

1 ○ 안에 알맞은 수를 찾고 나눗셈을 하여 빈칸을 채우세요.

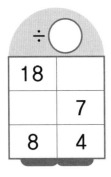

÷○	
18	
	7
8	4

÷○	
54	9
	6
24	

÷○	
	5
10	2
45	

÷○	
24	
48	6
32	

÷○	
12	3
	7
	8

÷○	
81	
	6
63	7

2 큰 수를 작은 수로 나눈 몫이 ☆ 안의 수가 되도록 두 수를 선으로 모두 이으세요.

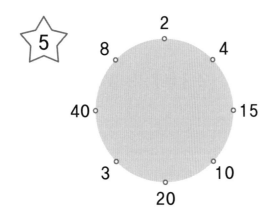

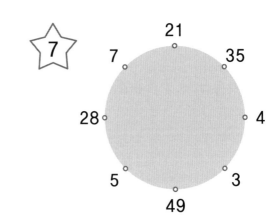

3   □ 안에 들어갈 수가 같은 것끼리 선으로 이으세요.

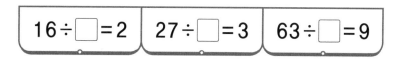

| $16 \div \square = 2$ | $27 \div \square = 3$ | $63 \div \square = 9$ |

| $4 \times \square = 28$ | $9 \times \square = 72$ | $5 \times \square = 45$ |

4   농구는 한 팀에 선수가 5명씩입니다. 농구 선수가 모두 45명이면 농구팀은 모두 몇 팀일까요?

식 _____   답 _____ 팀

5   한 식탁에 의자가 4개씩 놓여 있습니다. 의자가 모두 32개이면 식탁은 모두 몇 개일까요?

식 _____   답 _____ 개

나눗셈식 만들기

개념
원리

숫자 카드를 한 번씩 모두 사용하여 나눗셈식을 만들어 봅시다.

| 2 | 7 | 9 |

2 7 ÷ 9 = 3

7 2 ÷ 9 = 8

9의 단에 있는 곱 중에서 2와 7로 만들어지는 수는 27과 72입니다.

| 2 | 6 | 4 |

☐☐ ÷ ☐ = 7

☐☐ ÷ ☐ = 4

| 6 | 9 | 3 |

☐☐ ÷ ☐ = 4

☐☐ ÷ ☐ = 7

| 8 | 2 | 7 |

☐☐ ÷ ☐ = 4

☐☐ ÷ ☐ = 9

| 1 | 4 | 2 |

☐☐ ÷ ☐ = 7

☐☐ ÷ ☐ = 3

| 4 | 9 | 5 |

☐☐ ÷ ☐ = 6

☐☐ ÷ ☐ = 5

| 3 | 2 | 1 |

☐☐ ÷ ☐ = 7

☐☐ ÷ ☐ = 4

| 2 | 6 | 1 | 4 |

_____ = 3

_____ = 7

_____ = 8

숫자 카드 중 **3**장을 사용하여
묶에 맞는 나눗셈식을 만드세요.

| 4 | 3 | 2 | 6 |

_____ = 8

_____ = 7

_____ = 9

| 7 | 2 | 8 | 4 |

_____ = 7

_____ = 6

_____ = 9

| 3 | 1 | 8 | 2 |

_____ = 6

_____ = 4

_____ = 7

| 4 | 1 | 2 | 0 |

_____ = 5

_____ = 3

_____ = 7

1 가로, 세로로 이웃한 세 수 또는 네 수를 묶은 다음 ÷와 =를 넣어 나눗셈식 3개를 만드세요.

5	2	8 ÷ 4 = 7		
2	4	9	5	3
9	1	4	2	7
3	6	7	9	6
3	4	4	8	5

1	1	6	2	3
2	3	2	5	7
4	6	5	6	8
3	3	8	7	4
7	9	2	3	2

4	8	6	7	2
3	2	7	3	9
2	0	4	6	1
8	6	3	9	7
4	1	6	8	3

9	6	7	3	1
7	3	5	9	4
5	2	4	5	2
1	8	9	7	7
4	2	2	6	3

5	4	6	9	3
1	4	2	5	2
6	5	7	1	4
7	9	5	6	8
6	4	9	7	7

2 다음은 계산기의 색칠한 버튼을 눌러 나눗셈식을 계산한 것입니다. 계산 결과에 맞게 버튼을 누른 순서대로 쓰세요.

3 숫자 카드 중 3장을 사용하여 나눗셈식을 만들 때 몫이 될 수 없는 수에 모두 ✕표 하세요.

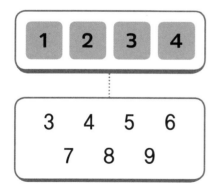

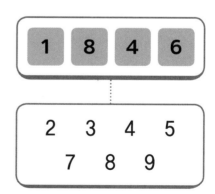

어떤 수 구하기

개념
원리

어떤 수를 구해 봅시다.

어떤 수를 4로 나눈 몫에 7을 더하면 15입니다. 어떤 수는 얼마일까요?

$$\boxed{} \div \boxed{4} + \boxed{7} = 15, \quad \boxed{} = \boxed{32}$$

8

15

어떤 수를 □라 하여 식을 세운 다음 계산 과정을 거꾸로 생각하여 어떤 수를 구합니다.

30을 어떤 수로 나눈 몫에서 1을 뺐더니 4가 되었습니다.
어떤 수는 얼마일까요?

$$\boxed{} \div \boxed{} - \boxed{} = 4$$

$$\boxed{} = \boxed{}$$

어떤 수를 6으로 나눈 몫에서 2를 빼면 7입니다.
어떤 수는 얼마일까요?

$$\boxed{} \div \boxed{} - \boxed{} = 7$$

$$\boxed{} = \boxed{}$$

63을 어떤 수로 나눈 몫에서 2를 뺐더니 5가 되었습니다.
어떤 수는 얼마일까요?

$$\boxed{} \div \boxed{} - \boxed{} = 5$$

$$\boxed{} = \boxed{}$$

어떤 수를 6으로 나눈 몫에 5를 더하면 13입니다.
어떤 수는 얼마일까요?

$$\boxed{} \div \boxed{} + \boxed{} = 13$$

$$\boxed{} = \boxed{}$$

$$\boxed{} \div 7 + 8 = 14$$

$$\boxed{} \div 9 - 4 = 3$$

$$54 \div \boxed{} + 6 = 15$$

$$36 \div \boxed{} - 2 = 4$$

$$24 \div 8 + \boxed{} = 10$$

$$72 \div 9 - \boxed{} = 5$$

$$\boxed{} \div 5 + 7 = 14$$

$$\boxed{} \div 9 - 3 = 6$$

$$64 \div \boxed{} + 3 = 11$$

$$48 \div \boxed{} - 5 = 3$$

$$18 \div 2 + \boxed{} = 17$$

$$32 \div 4 - \boxed{} = 4$$

$$\boxed{} \div 9 + 9 = 12$$

$$\boxed{} \div 2 - 1 = 6$$

$$30 \div \boxed{} + 8 = 14$$

$$56 \div \boxed{} - 3 = 5$$

1 같은 모양은 같은 수, 다른 모양은 다른 수를 나타냅니다. ☐ 안에 알맞은 수를 쓰세요.

$$12 \div ★ = 2$$

$$14 \div ▲ = 7$$

$$★ \div ▲ = \boxed{}$$

$$28 \div ◆ = 7$$

$$● \div 8 = 2$$

$$● \div ◆ = \boxed{}$$

2 다음과 같이 어떤 수를 구하고 답을 구하세요.

> 어떤 수에 9를 곱하였더니 54가 되었습니다. 어떤 수를 2로 나누면 얼마일까요?
>
> 어떤 수: $\boxed{} \times 9 = 54, \boxed{} = 6$
>
> 계산하기: $6 \div 2 = 3$

어떤 수를 4로 나누면 몫이 2입니다. 어떤 수에 7을 곱하면 얼마일까요?

어떤 수: _____

계산하기: _____

28을 어떤 수로 나누면 몫이 4입니다. 어떤 수에 5를 곱하면 얼마일까요?

어떤 수: _____

계산하기: _____

3 같은 모양은 같은 수, 다른 모양은 다른 수를 나타냅니다. 각 모양이 나타내는 수를 구하세요.

$$\spadesuit \times \blacksquare = 18$$
$$\spadesuit \div \blacksquare = 2$$

$$\spadesuit = \boxed{} , \quad \blacksquare = \boxed{}$$

$$\heartsuit - \spadesuit = 9$$
$$\heartsuit \div \spadesuit = 4$$

$$\heartsuit = \boxed{} , \quad \spadesuit = \boxed{}$$

4 두 수의 합은 12이고 큰 수를 작은 수로 나누면 몫이 2입니다. 두 수를 구하세요. $\boxed{}$, $\boxed{}$

5 어떤 수를 6으로 나누었더니 몫이 6이 되었습니다. 어떤 수를 4로 나누었을 때의 몫은 얼마일까요?

$\boxed{}$

6 어떤 수를 8로 나누어야 할 것을 잘못하여 4로 나누었더니 몫이 6이 되었습니다. 바르게 계산하면 몫은 얼마일까요?

$\boxed{}$

곱셈과 나눗셈, 덧셈과 뺄셈

거꾸로 계산하여 봅시다.

$$\boxed{32} \xrightarrow{\div 8} \boxed{4} \xrightarrow{+6} \boxed{10}$$

$\times 8 \qquad -6$

거꾸로 계산할 때에는 나눗셈은 곱셈으로
덧셈은 뺄셈으로 계산합니다.

$$\boxed{7} \xrightarrow{\times 5} \boxed{35} \xrightarrow{-6} \boxed{29}$$

$\div 5 \qquad +6$

거꾸로 계산할 때에는 곱셈은 나눗셈으로
뺄셈은 덧셈으로 계산합니다.

$$\boxed{} \xrightarrow{\div 5} \boxed{} \xrightarrow{+6} \boxed{11}$$

$\times 5 \qquad -6$

$$\boxed{} \xrightarrow{\times 3} \boxed{} \xrightarrow{-9} \boxed{9}$$

$\div 3 \qquad +9$

$$\boxed{} \xrightarrow{\times 8} \boxed{} \xrightarrow{-5} \boxed{27}$$

$\div 8 \qquad +5$

$$\boxed{} \xrightarrow{\div 5} \boxed{} \xrightarrow{+4} \boxed{13}$$

$\times 5 \qquad -4$

$$\boxed{} \xrightarrow{\div 9} \boxed{} \xrightarrow{+2} \boxed{10}$$

$$\boxed{} \xrightarrow{\times 6} \boxed{} \xrightarrow{-7} \boxed{23}$$

$$\boxed{} \xrightarrow{\times 4} \boxed{} \xrightarrow{-5} \boxed{23}$$

$$\boxed{} \xrightarrow{\div 3} \boxed{} \xrightarrow{+9} \boxed{17}$$

$$\boxed{} \xrightarrow{\div 4} \boxed{} \xrightarrow{+7} \boxed{10} \qquad \boxed{} \xrightarrow{\div 5} \boxed{} \xrightarrow{\times 9} \boxed{27}$$

$$\boxed{} \xrightarrow{\div 8} \boxed{} \xrightarrow{-2} \boxed{2} \qquad \boxed{} \xrightarrow{\times 4} \boxed{} \xrightarrow{\div 6} \boxed{6}$$

$$\boxed{} \xrightarrow{\div 7} \boxed{} \xrightarrow{+5} \boxed{14} \qquad \boxed{} \xrightarrow{\div 5} \boxed{} \xrightarrow{\times 3} \boxed{12}$$

$$\boxed{} \xrightarrow{\div 6} \boxed{} \xrightarrow{-4} \boxed{5} \qquad \boxed{} \xrightarrow{\times 4} \boxed{} \xrightarrow{\div 9} \boxed{4}$$

$$\boxed{} \xrightarrow{\times 5} \boxed{} \xrightarrow{+8} \boxed{13} \qquad \boxed{} \xrightarrow{\div 3} \boxed{} \xrightarrow{\times 7} \boxed{28}$$

$$\boxed{} \xrightarrow{\div 9} \boxed{} \xrightarrow{\times 3} \boxed{24} \qquad \boxed{} \xrightarrow{\times 6} \boxed{} \xrightarrow{\div 2} \boxed{9}$$

1 가로, 세로 방향으로 곱셈식, 나눗셈식을 하나씩 만들었습니다. 빈 곳에 알맞은 수를 쓰세요.

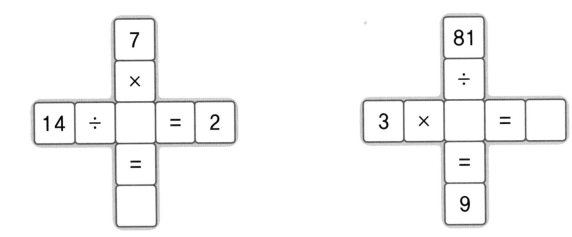

2 사다리를 타고 내려가면서 순서대로 계산을 합니다. ☐ 안에 알맞은 수를 쓰세요.

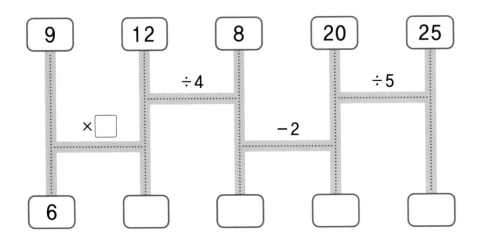

3 1부터 8까지의 수를 한 번씩 모두 사용하여 가로줄, 세로줄에 있는 4개의 식이 성립하도록 빈칸에 알맞은 수를 쓰세요.

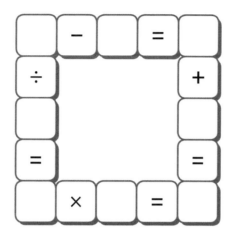

4 2, 3, 5, 6, 7, 8, 13, 14, 18을 한 번씩 모두 사용하여 3개의 식이 모두 성립하도록 만드세요.

☐ ÷ ☐ = ☐   ☐ × ☐ = ☐   ☐ − ☐ = ☐

5 지영이네 반 학생은 27명입니다. 4명씩 모둠 3개를 만들고, 나머지 학생들은 5명씩 모둠을 만들었습니다. 5명인 모둠은 몇 개일까요?

_____ 개

1 ◯ 안에 알맞은 수를 찾고 나눗셈을 하여 빈칸을 채우세요.

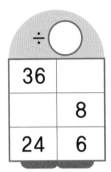

÷ ◯	
36	
	8
24	6

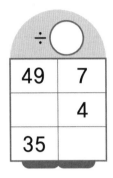

÷ ◯	
49	7
	4
35	

÷ ◯	
27	
45	5
36	

2 ☐ 안에 들어갈 수가 같은 것끼리 선으로 이으세요.

$14 \div \square = 2$	$32 \div \square = 4$	$12 \div \square = 3$

$5 \times \square = 35$	$9 \times \square = 36$	$5 \times \square = 40$

3 가로, 세로로 이웃한 세 수 또는 네 수를 묶은 다음 ÷와 = 를 넣어 나눗셈식 3개를 만드세요.

7	3	6	6	6
3	8	9	5	8
5	4	9	6	2
2	9	8	3	4
4	3	2	5	1

4 다음은 계산기의 색칠한 버튼을 눌러 나눗셈식을 계산한 것입니다. 계산 결과에 맞게 버튼을 누른 순서대로 쓰세요.

5 같은 모양은 같은 수, 다른 모양은 다른 수를 나타냅니다. ☐ 안에 알맞은 수를 쓰세요.

$48 \div ★ = 8$

$18 \div ▲ = 9$

$★ \div ▲ = \boxed{}$

$12 \div ◆ = 6$

$◑ \div 6 = 3$

$◑ \div ◆ = \boxed{}$

6 같은 모양은 같은 수, 다른 모양은 다른 수를 나타냅니다. 각 모양이 나타내는 수를 빈칸에 쓰세요.

$♣ × ♠ = 27$

$♣ \div ♠ = 3$

$♣ = \boxed{}$, $♠ = \boxed{}$

$⬠ - ⬡ = 16$

$⬠ \div ⬡ = 5$

$⬠ = \boxed{}$, $⬡ = \boxed{}$

7 가로, 세로 방향으로 곱셈식, 나눗셈식을 하나씩 만들었습니다. 빈 곳에 알맞은 수를 쓰세요.

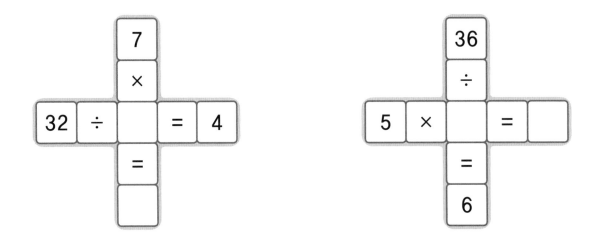

8 사다리를 타고 내려가면서 순서대로 계산을 합니다. 빈칸에 알맞은 수를 쓰세요.

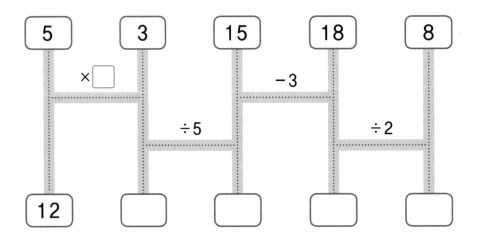

9 지웅이는 쿠키를 59개 가지고 있습니다. 쿠키 5개를 남기고 나머지는 친구 6명에게 똑같이 나누어 주려고 합니다. 친구 한 명에게 몇 개씩 주면 될까요?

_____ 개

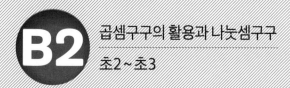

B2

곱셈구구의 활용과 나눗셈구구

초2~초3

정답 및 길잡이

곱셈구구와 합차

6·7쪽

209 1일 C
한 자리 수끼리의 곱셈

곱셈표를 완성하고, 곱셈구구와 0과 어떤 수의 곱에 대해 알아봅시다.

×	0	1	2	3	4	5	6	7	8	9
0	0	0	0	0	0	0	0	0	0	0
1	0	1	2	3	4	5	6	7	8	9
2	0	2	4	6	8	10	12	14	16	18
3	0	3	6	9	12	15	18	21	24	27
4	0	4	8	12	16	20	24	28	32	36
5	0	5	10	15	20	25	30	35	40	45
6	0	6	12	18	24	30	36	42	48	54
7	0	7	14	21	28	35	42	49	56	63
8	0	8	16	24	32	40	48	56	64	72
9	0	9	18	27	36	45	54	63	72	81

0과 어떤 수의 곱은 항상 $\boxed{0}$ 이고, 1과 어떤 수의 곱은 항상 $\boxed{어떤 수}$ 입니다.

곱셈표에서 1번 나오는 수를 작은 수부터 차례로 쓰면 1, 25, 49, $\boxed{64}$, $\boxed{81}$ 입니다.

곱셈표에서 3번 나오는 수를 작은 수부터 차례로 쓰면 4, 9, $\boxed{16}$, $\boxed{36}$ 입니다.

곱셈표에서 4번 나오는 수를 작은 수부터 차례로 쓰면 6, 8, $\boxed{12}$, $\boxed{18}$, $\boxed{24}$ 입니다.

$4 \times 2 = \boxed{8}$ $6 \times 7 = \boxed{42}$ $9 \times 3 = \boxed{27}$

$2 \times 8 = \boxed{16}$ $3 \times 4 = \boxed{12}$ $7 \times 5 = \boxed{35}$

$8 \times 5 = \boxed{40}$ $1 \times 9 = \boxed{9}$ $5 \times 6 = \boxed{30}$

$7 \times 9 = \boxed{63}$ $4 \times 8 = \boxed{32}$ $9 \times 4 = \boxed{36}$

$6 \times 3 = \boxed{18}$ $2 \times 5 = \boxed{10}$ $5 \times 3 = \boxed{15}$

$0 \times 7 = \boxed{0}$ $8 \times 8 = \boxed{64}$ $1 \times 6 = \boxed{6}$

$5 \times 5 = \boxed{25}$ $7 \times 7 = \boxed{49}$ $9 \times 9 = \boxed{81}$

$6 \times 4 = \boxed{24}$ $3 \times 3 = \boxed{9}$ $8 \times 7 = \boxed{56}$

8·9쪽

응용연산

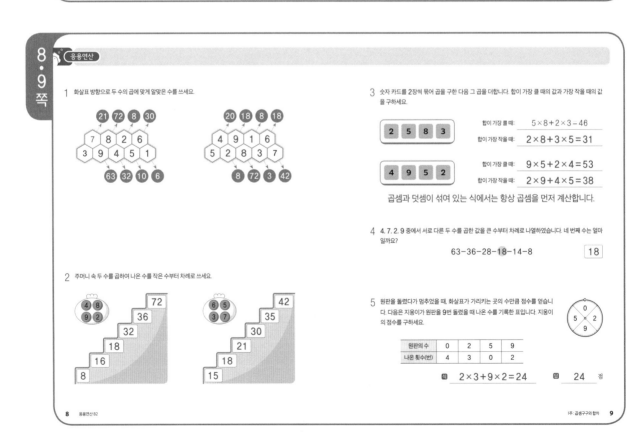

1 화살표 방향으로 두 수의 곱에 맞게 알맞은 수를 쓰세요.

2 주머니 속 두 수를 곱하여 나온 수를 작은 수부터 차례로 쓰세요.

3 숫자 카드를 2장씩 묶어 곱을 구한 다음 그 곱을 더합니다. 합이 가장 클 때의 값과 가장 작을 때의 값을 구하세요.

| 2 | 5 | 8 | 3 |

합이 가장 클 때: $5 \times 8 + 2 \times 3 = 46$

합이 가장 작을 때: $2 \times 8 + 3 \times 5 = 31$

| 4 | 9 | 5 | 2 |

합이 가장 클 때: $9 \times 5 + 2 \times 4 = 53$

합이 가장 작을 때: $2 \times 9 + 4 \times 5 = 38$

곱셈과 덧셈이 섞여 있는 식에서는 항상 곱셈을 먼저 계산합니다.

4 4, 7, 2, 9 중에서 서로 다른 두 수를 곱한 값을 큰 수부터 차례로 나열하였습니다. 네 번째 수는 얼마일까요?

$63 - 36 - 28 - 18 - 14 - 8$ $\boxed{18}$

5 원판을 돌렸다가 멈추었을 때, 화살표가 가리키는 곳의 수만큼 점수를 얻습니다. 다음은 지웅이가 원판을 9번 돌렸을 때 나온 수를 기록한 표입니다. 지웅이의 점수를 구하세요.

원판의 수	0	2	5	9
나온 횟수(번)	4	3	0	2

식 $2 \times 3 + 9 \times 2 = 24$ 답 $\boxed{24}$ 점

곱에 맞는 두 수 찾기

곱셈구구를 이용하여 곱에 맞는 두 수를 찾아봅시다.

$$\begin{array}{l}3 \times 7 = 21 \\ 7 \times 3 = 21\end{array}$$
$$\begin{array}{l}6 \times 8 = 48 \\ 8 \times 6 = 48\end{array}$$

$7 \times 7 = 49$　　$5 \times 5 = 25$

$8 \times 8 = 64$　　$9 \times 9 = 81$

$$\begin{array}{l}5 \times 7 = 35 \\ 7 \times 5 = 35\end{array}$$
$$\begin{array}{l}6 \times 9 = 54 \\ 9 \times 6 = 54\end{array}$$

$$\begin{array}{l}5 \times 8 = 40 \\ 8 \times 5 = 40\end{array}$$
$$\begin{array}{l}7 \times 9 = 63 \\ 9 \times 7 = 63\end{array}$$

$$\begin{array}{l}7 \times 8 = 56 \\ 8 \times 7 = 56\end{array}$$
$$\begin{array}{l}8 \times 9 = 72 \\ 9 \times 8 = 72\end{array}$$

$$\begin{array}{l}1 \times 9 = 9 \\ 3 \times 3 = 9 \\ 9 \times 1 = 9\end{array}$$
$$\begin{array}{l}1 \times 4 = 4 \\ 2 \times 2 = 4 \\ 4 \times 1 = 4\end{array}$$

$$\begin{array}{l}2 \times 8 = 16 \\ 4 \times 4 = 16 \\ 8 \times 2 = 16\end{array}$$
$$\begin{array}{l}4 \times 9 = 36 \\ 6 \times 6 = 36 \\ 9 \times 4 = 36\end{array}$$

$$\begin{array}{l}1 \times 8 = 8 \\ 2 \times 4 = 8 \\ 4 \times 2 = 8 \\ 8 \times 1 = 8\end{array}$$
$$\begin{array}{l}3 \times 8 = 24 \\ 4 \times 6 = 24 \\ 6 \times 4 = 24 \\ 8 \times 3 = 24\end{array}$$

$$\begin{array}{l}2 \times 6 = 12 \\ 3 \times 4 = 12 \\ 4 \times 3 = 12 \\ 6 \times 2 = 12\end{array}$$
$$\begin{array}{l}2 \times 9 = 18 \\ 3 \times 6 = 18 \\ 6 \times 3 = 18 \\ 9 \times 2 = 18\end{array}$$

1 가로, 세로로 두 수의 곱에 맞게 상자 안의 수를 빈칸에 쓰세요.

	×		
4	7	28	
5	9	45	
20	63		

⑦ ④ ⑨ ⑤

	×		
6	8	48	
9	7	63	
54	56		

⑧ ⑥ ⑨ ⑦

2 가로, 세로로 두 수의 곱에 맞게 빈칸에 알맞은 수를 쓰세요.

7	3	➡ 21
6		9	➡ 54
	4	5	➡ 20
42	12	45

3	9	➡ 27
5		7	➡ 35
6	8		➡ 48
30	24	63

2		7	➡ 14
	9	4	➡ 36
5	8		➡ 40
10	72	28

3		6	➡ 18
5	9		➡ 45
	7	4	➡ 28
15	63	24

3 ○ 안의 수는 선으로 이어진 두 수의 곱입니다. 빈 곳에 알맞은 수를 쓰세요.

4 2부터 9까지의 수를 한 번씩 모두 사용하여 다음 곱셈식을 완성하세요.

$2 \times 6 = 12$　　$4 \times 7 = 28$

$3 \times 8 = 24$　　$5 \times 9 = 45$

5 다음은 일정한 규칙에 따라 두 수를 곱한 계산 결과를 쓴 것입니다. 빈칸에 알맞은 수를 쓰세요.

9	16	21	24	25	24	21	……
1×9	2×8	3×7	4×6	5×5	6×4	7×3

14·15쪽

3일 C 211 세 수의 곱셈

세 수의 곱셈을 알아봅시다.

$3 \times 2 \times 3 = \boxed{6} \times 3 = \boxed{18}$

$3 \times 2 \times 3 = \boxed{9} \times 2 = \boxed{18}$

세 수의 곱을 구할 때에는 순서에 상관없이 두 수의 곱을 구한 다음 나머지 수를 곱합니다.

$3 \times 2 \times 3 = 3 \times \boxed{6} = \boxed{18}$

$4 \times 2 \times 5 = \boxed{8} \times 5 = \boxed{40}$
$3 \times 3 \times 8 = \boxed{9} \times 8 = \boxed{72}$

$2 \times 6 \times 2 = \boxed{4} \times 6 = \boxed{24}$
$3 \times 7 \times 2 = \boxed{6} \times 7 = \boxed{42}$

$7 \times 2 \times 4 = 7 \times \boxed{8} = \boxed{56}$
$6 \times 3 \times 3 = 6 \times \boxed{9} = \boxed{54}$

$1 \times 8 \times 9 = \boxed{8} \times 9 = \boxed{72}$
$4 \times 5 \times 0 = 4 \times \boxed{0} = \boxed{0}$

$9 \times 4 \times 2 = 9 \times \boxed{8} = \boxed{72}$
$2 \times 5 \times 3 = \boxed{6} \times 5 = \boxed{30}$

$4 \times 2 \times 7 = \boxed{56}$
$3 \times 8 \times 3 = \boxed{72}$
$2 \times 3 \times 4 = \boxed{24}$

$8 \times 2 \times 3 = \boxed{48}$
$9 \times 1 \times 7 = \boxed{63}$
$4 \times 4 \times 2 = \boxed{32}$

$2 \times 7 \times 2 = \boxed{28}$
$6 \times 3 \times 3 = \boxed{54}$
$3 \times 5 \times 2 = \boxed{30}$

$9 \times 1 \times 5 = \boxed{45}$
$4 \times 5 \times 2 = \boxed{40}$
$7 \times 3 \times 3 = \boxed{63}$

$7 \times 3 \times 2 = \boxed{42}$
$8 \times 2 \times 2 = \boxed{32}$
$6 \times 2 \times 3 = \boxed{36}$

$3 \times 5 \times 3 = \boxed{45}$
$5 \times 4 \times 2 = \boxed{40}$
$8 \times 9 \times 1 = \boxed{72}$

$1 \times 9 \times 6 = \boxed{54}$
$3 \times 7 \times 2 = \boxed{42}$
$9 \times 3 \times 3 = \boxed{81}$

$3 \times 9 \times 3 = \boxed{81}$
$8 \times 0 \times 8 = \boxed{0}$
$7 \times 1 \times 6 = \boxed{42}$

16·17쪽

응용연산

1 빈칸에 알맞은 수를 쓰세요.

3 사다리를 타고 내려가는 길의 계산에 맞게 빈칸에 알맞은 수를 쓰세요.

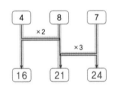
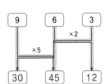

2 선으로 이어진 세 수의 곱이 삼각형 안의 수가 되도록 ○ 안에 알맞은 수를 쓰세요.

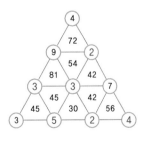

4 주영이는 사탕이 3개씩 들어있는 봉지를 3개 가지고 있습니다. 민호는 주영이가 가진 사탕의 2배를 가지고 있습니다. 민호가 가진 사탕은 몇 개일까요?

식 $3 \times 3 \times 2 = 18$ 답 18 개

5 민준이는 매일 우유를 3컵씩 2번 마십니다. 민준이가 일주일 동안 마신 우유는 모두 몇 컵일까요?

식 $3 \times 2 \times 7 = 42$ 답 42 컵

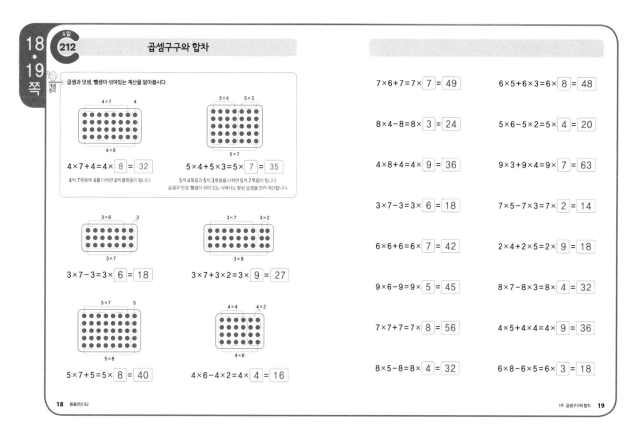

212 곱셈구구와 합차

곱셈과 덧셈, 뺄셈이 섞여있는 계산을 알아봅시다.

$4 \times 7 + 4 = 4 \times 8 = 32$

$5 \times 4 + 5 \times 3 = 5 \times 7 = 35$

4씩 7묶음에 4를 더하면 4씩 8묶음이 됩니다.

5씩 4묶음과 5의 3묶음을 더하면 5씩 7묶음이 됩니다.
곱셈과 덧셈, 뺄셈이 섞여 있는 식에서는 항상 곱셈을 먼저 계산합니다.

$3 \times 7 - 3 = 3 \times 6 = 18$

$3 \times 7 + 3 \times 2 = 3 \times 9 = 27$

$5 \times 7 + 5 = 5 \times 8 = 40$

$4 \times 6 - 4 \times 2 = 4 \times 4 = 16$

$7 \times 6 + 7 = 7 \times 7 = 49$

$6 \times 5 + 6 \times 3 = 6 \times 8 = 48$

$8 \times 4 - 8 = 8 \times 3 = 24$

$5 \times 6 - 5 \times 2 = 5 \times 4 = 20$

$4 \times 8 + 4 = 4 \times 9 = 36$

$9 \times 3 + 9 \times 4 = 9 \times 7 = 63$

$3 \times 7 - 3 = 3 \times 6 = 18$

$7 \times 5 - 7 \times 3 = 7 \times 2 = 14$

$6 \times 6 + 6 = 6 \times 7 = 42$

$2 \times 4 + 2 \times 5 = 2 \times 9 = 18$

$9 \times 6 - 9 = 9 \times 5 = 45$

$8 \times 7 - 8 \times 3 = 8 \times 4 = 32$

$7 \times 7 + 7 = 7 \times 8 = 56$

$4 \times 5 + 4 \times 4 = 4 \times 9 = 36$

$8 \times 5 - 8 = 8 \times 4 = 32$

$6 \times 8 - 6 \times 5 = 6 \times 3 = 18$

18 응용연산 B2　　　　　　　　　　　　　1주·곱셈구구와 합차 **19**

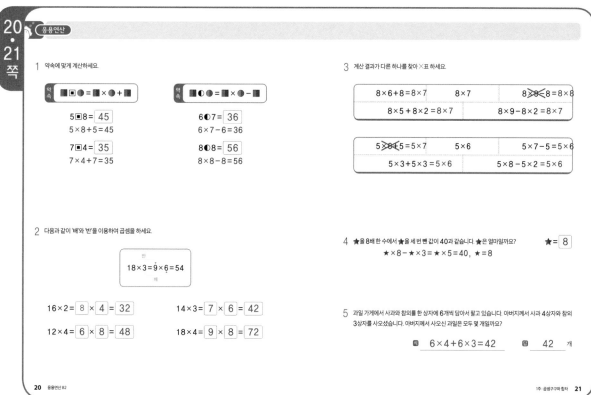

응용연산

1 약속에 맞게 계산하세요.

약속　$\blacksquare\square\bullet = \blacksquare \times \bullet + \blacksquare$

$5\square8 = 45$
$5 \times 8 + 5 = 45$

$7\square4 = 35$
$7 \times 4 + 7 = 35$

약속　$\blacksquare\bullet\bullet = \blacksquare \times \bullet - \blacksquare$

$6\bullet7 = 36$
$6 \times 7 - 6 = 36$

$8\bullet8 = 56$
$8 \times 8 - 8 = 56$

2 다음과 같이 '배'와 '반'을 이용하여 곱셈을 하세요.

반
$18 \times 3 = 9 \times 6 = 54$
배

$16 \times 2 = 8 \times 4 = 32$

$14 \times 3 = 7 \times 6 = 42$

$12 \times 4 = 6 \times 8 = 48$

$18 \times 4 = 9 \times 8 = 72$

3 계산 결과가 다른 하나를 찾아 ×표 하세요.

| $8 \times 6 + 8 = 8 \times 7$ | 8×7 | $8 \times 8 - 8 = 8 \times 8$ ✕ |
| $8 \times 5 + 8 \times 2 = 8 \times 7$ | | $8 \times 9 - 8 \times 2 = 8 \times 7$ |

| $5 \times 8 + 5 = 5 \times 7$ ✕ | 5×6 | $5 \times 7 - 5 = 5 \times 6$ |
| $5 \times 3 + 5 \times 3 = 5 \times 6$ | | $5 \times 8 - 5 \times 2 = 5 \times 6$ |

4 ★을 8배 한 수에서 ★을 세 번 뺀 값이 40과 같습니다. ★은 얼마일까요?　★= 8

★ $\times 8 -$ ★ $\times 3 =$ ★ $\times 5 = 40$, ★ $= 8$

5 과일 가게에서 사과와 참외를 한 상자에 6개씩 담아서 팔고 있습니다. 아버지께서 사과 4상자와 참외 3상자를 사오셨습니다. 아버지께서 사오신 과일은 모두 몇 개일까요?

식　$6 \times 4 + 6 \times 3 = 42$　　답　42 개

20 응용연산 B2　　　　　　　　　　　　　1주·곱셈구구와 합차 **21**

형성평가

1 화살표 방향으로 두 수의 곱에 맞게 알맞은 수를 쓰세요.

2 숫자 카드를 2장씩 묶어 곱을 구한 다음 그 곱을 더합니다. 합이 가장 클 때의 값과 가장 작을 때의 값을 구하세요.

합이 가장 클 때: $9 \times 7 + 4 \times 3 = 75$

합이 가장 작을 때: $9 \times 3 + 7 \times 4 = 55$

3 가로, 세로로 두 수의 곱에 맞게 빈칸에 알맞은 수를 쓰세요.

4 2부터 9까지의 수를 한 번씩 모두 사용하여 다음 곱셈식을 완성하세요.

$2 \times 7 = 14$ $3 \times 9 = 27$

$4 \times 8 = 32$ $5 \times 6 = 30$

5 선으로 이어진 세 수의 곱이 삼각형 안의 수가 되도록 ○ 안에 알맞은 수를 쓰세요.

6 사다리를 타고 내려가는 길의 계산에 맞게 빈칸에 알맞은 수를 쓰세요.

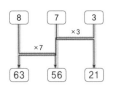

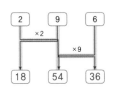

7 주영이는 사탕이 4개씩 들어있는 상자를 3개 가지고 있습니다. 민호는 주영이가 가진 사탕의 3배를 가지고 있습니다. 민호가 가진 사탕은 몇 개일까요?

식 $4 \times 3 \times 3 = 36$ 답 36 개

8 다음과 같이 '배'와 '반'을 이용하여 곱셈을 하세요.

반
$16 \times 4 = 8 \times 8 = 64$
배

$14 \times 4 = 7 \times 8 = 56$ $12 \times 3 = 6 \times 6 = 36$

9 ★을 9배 한 수에서 ★을 두 번 뺀 값이 42와 같습니다. ★은 얼마일까요?   ★= 6
★×9 - ★×2 = ★×7 = 42, ★=6

곱셈구구의 활용

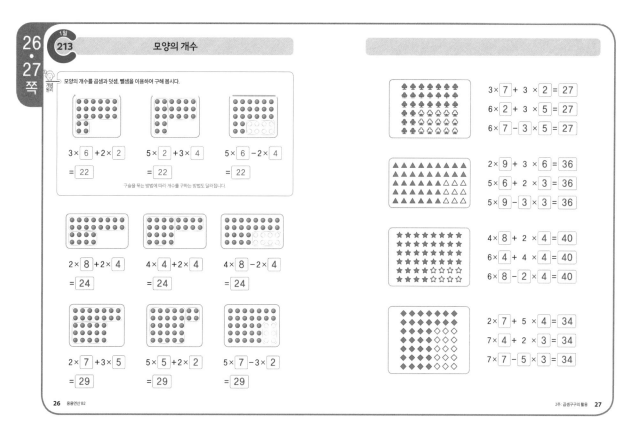

26·27쪽

213 C 1일

모양의 개수

모양의 개수를 곱셈과 덧셈, 뺄셈을 이용하여 구해 봅시다.

$3 \times \boxed{6} + 2 \times \boxed{2}$
$= \boxed{22}$

$5 \times \boxed{2} + 3 \times \boxed{4}$
$= \boxed{22}$

$5 \times \boxed{6} - 2 \times \boxed{4}$
$= \boxed{22}$

구슬을 묶는 방법에 따라 개수를 구하는 방법도 달라집니다.

$2 \times \boxed{8} + 2 \times \boxed{4}$
$= \boxed{24}$

$4 \times \boxed{4} + 2 \times \boxed{4}$
$= \boxed{24}$

$4 \times \boxed{8} - 2 \times \boxed{4}$
$= \boxed{24}$

$2 \times \boxed{7} + 3 \times \boxed{5}$
$= \boxed{29}$

$5 \times \boxed{5} + 2 \times \boxed{2}$
$= \boxed{29}$

$5 \times \boxed{7} - 3 \times \boxed{2}$
$= \boxed{29}$

$3 \times \boxed{7} + 3 \times \boxed{2} = \boxed{27}$
$6 \times \boxed{2} + 3 \times \boxed{5} = \boxed{27}$
$6 \times \boxed{7} - 3 \times \boxed{5} = \boxed{27}$

$2 \times \boxed{9} + 3 \times \boxed{6} = \boxed{36}$
$5 \times \boxed{6} + 2 \times \boxed{3} = \boxed{36}$
$5 \times \boxed{9} - 3 \times \boxed{3} = \boxed{36}$

$4 \times \boxed{8} + 2 \times \boxed{4} = \boxed{40}$
$6 \times \boxed{4} + 4 \times \boxed{4} = \boxed{40}$
$6 \times \boxed{8} - 2 \times \boxed{4} = \boxed{40}$

$2 \times \boxed{7} + 5 \times \boxed{4} = \boxed{34}$
$7 \times \boxed{4} + 2 \times \boxed{3} = \boxed{34}$
$7 \times \boxed{7} - 5 \times \boxed{3} = \boxed{34}$

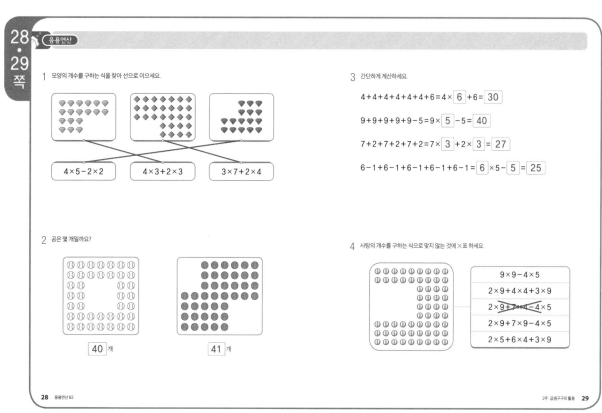

28·29쪽

응용연산

1 모양의 개수를 구하는 식을 찾아 선으로 이으세요.

$4 \times 5 - 2 \times 2$ | $4 \times 3 + 2 \times 3$ | $3 \times 7 + 2 \times 4$

2 공은 몇 개일까요?

$\boxed{40}$ 개

$\boxed{41}$ 개

3 간단하게 계산하세요.

$4+4+4+4+4+4+6 = 4 \times \boxed{6} + 6 = \boxed{30}$

$9+9+9+9+9-5 = 9 \times \boxed{5} - 5 = \boxed{40}$

$7+2+7+2+7+2 = 7 \times \boxed{3} + 2 \times \boxed{3} = \boxed{27}$

$6-1+6-1+6-1+6-1+6-1 = \boxed{6} \times 5 - \boxed{5} = \boxed{25}$

4 사탕의 개수를 구하는 식으로 맞지 않는 것에 ×표 하세요.

$9 \times 9 - 4 \times 5$

$2 \times 9 + 4 \times 4 + 3 \times 9$

$2 \times 9 + 7 \times 4 - 4 \times 5$ (×표)

$2 \times 9 + 7 \times 9 - 4 \times 5$

$2 \times 5 + 6 \times 4 + 3 \times 9$

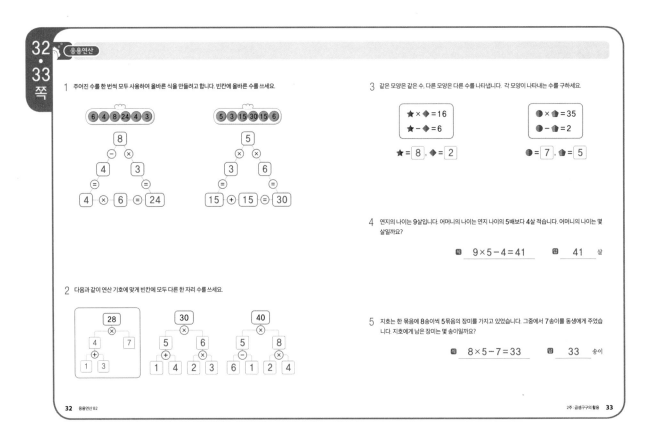

30·31쪽

개념 2일 214 곱셈, 덧셈, 뺄셈이 있는 혼합계산

숫자 카드를 한 번씩 모두 사용하여 계산 결과에 맞는 식을 만들어 봅시다.

2 3 4

$2 \times 3 + 4 = 10$ $2 \times 3 - 4 = 2$

$4 \times 3 + 2 = 14$ $4 \times 2 - 3 = 5$

$4 \times (3 + 2) = 20$ $4 \times (3 - 2) = 4$

곱셈과 덧셈, 뺄셈이 섞여 있는 식에서는 항상 곱셈을 먼저 계산합니다. ( )가 있는 식에서는 ( )안을 먼저 계산합니다.

2 4 5

$2 \times 4 + 5 = 13$ $4 \times 5 - 2 = 18$

$2 \times 5 + 4 = 14$ $2 \times 4 - 5 = 3$

$2 \times (4 + 5) = 18$ $5 \times (4 - 2) = 10$
또는 $2 \times (5 + 4) = 18$

3 6 7

$6 \times 7 + 3 = 45$ $3 \times 7 - 6 = 15$

$6 \times 3 + 7 = 25$ $6 \times 7 - 3 = 39$

$7 \times (3 + 6) = 63$ $3 \times (7 - 6) = 3$
또는 $7 \times (6 + 3) = 63$

곱하는 두 수를 바꾸어도 정답입니다.

3 7 5

$5 \times 3 + 7 = 22$

$7 \times 3 - 5 = 16$

4 5 6

$4 \times 5 + 6 = 26$

$5 \times 6 - 4 = 26$

8 4 9

$9 \times (8 - 4) = 36$

$4 \times (9 - 8) = 4$

5 2 7

$7 \times (5 + 2) = 49$
또는 $7 \times (2 + 5) = 49$

$2 \times (7 - 5) = 4$

8 6 2

$8 \times 6 + 2 = 50$

$2 \times 8 - 6 = 10$

3 9 4

$4 \times 3 + 9 = 21$

$3 \times 9 - 4 = 23$

9 2 8

$2 \times 8 + 9 = 25$

$2 \times 9 - 8 = 10$

7 4 3

$7 \times 3 + 4 = 25$

$7 \times 4 - 3 = 25$

곱하는 두 수를 바꾸어도 정답입니다.

32·33쪽

응용연산

1 주어진 수를 한 번씩 모두 사용하여 올바른 식을 만들려고 합니다. 빈칸에 올바른 수를 쓰세요.

6 4 8 24 4 3

8
（−）（×）
4   3
（=）   （=）
4 （×） 6 （=） 24

5 3 15 30 15 6

5
（×）（×）
3   6
（=）   （=）
15 （+） 15 （=） 30

3 같은 모양은 같은 수, 다른 모양은 다른 수를 나타냅니다. 각 모양이 나타내는 수를 구하세요.

★ × ◆ = 16
★ − ◆ = 6

★ = 8 , ◆ = 2

● × ♠ = 35
● − ♠ = 2

● = 7 , ♠ = 5

4 연지의 나이는 9살입니다. 어머니의 나이는 연지 나이의 5배보다 4살 적습니다. 어머니의 나이는 몇 살일까요?

식 $9 \times 5 - 4 = 41$ 답 41 살

2 다음과 같이 연산 기호에 맞게 빈칸에 모두 다른 한 자리 수를 쓰세요.

28
（×）
4   7
（+）
1   3

30
（×）
5   6
（×）
1   4   2

40
（×）
5   8
（−）
6   1   2   4

5 지호는 한 묶음에 8송이씩 5묶음의 장미를 가지고 있었습니다. 그중에서 7송이를 동생에게 주었습니다. 지호에게 남은 장미는 몇 송이일까요?

식 $8 \times 5 - 7 = 33$ 답 33 송이

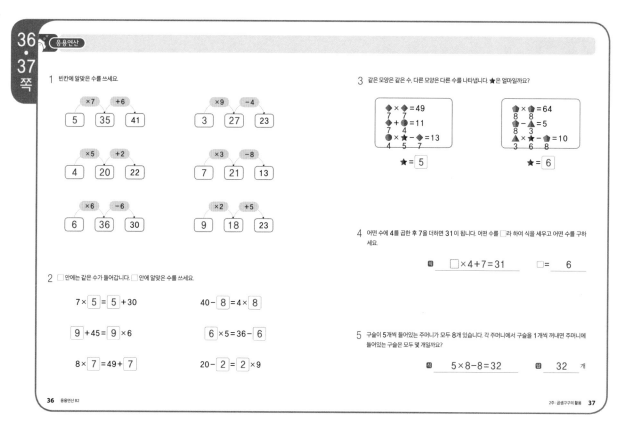

3일 215 C 어떤 수 구하기

어떤 수를 구해 봅시다.

어떤 수와 7의 곱에 6을 더했더니 41이 되었습니다. 어떤 수는 얼마일까요?

$$\square \times \boxed{7} + \boxed{6} = 41, \square = \boxed{5}$$

35
41

어떤 수를 □라 하여 식을 세운 다음 계산 과정을 거꾸로 생각하여 어떤 수를 구합니다.

6에 어떤 수를 곱한 후 4를 뺐더니 26이 되었습니다.
어떤 수는 얼마일까요?

$$\boxed{6} \times \square - \boxed{4} = 26$$
$$\square = \boxed{5}$$

어떤 수와 9의 곱에서 8을 뺐더니 64가 되었습니다.
어떤 수는 얼마일까요?

$$\square \times \boxed{9} - \boxed{8} = 64$$
$$\square = \boxed{8}$$

9에 어떤 수를 곱한 후 7을 더했더니 61이 되었습니다.
어떤 수는 얼마일까요?

$$\boxed{9} \times \square + \boxed{7} = 61$$
$$\square = \boxed{6}$$

어떤 수와 5의 곱에서 8을 뺐더니 32가 되었습니다.
어떤 수는 얼마일까요?

$$\square \times \boxed{5} - \boxed{8} = 32$$
$$\square = \boxed{8}$$

$$\boxed{4} \times 6 + 5 = 29 \qquad \boxed{8} \times 7 - 9 = 47$$

$$2 \times \boxed{7} + 3 = 17 \qquad 4 \times \boxed{5} - 8 = 12$$

$$7 \times 6 + \boxed{9} = 51 \qquad 3 \times 2 - \boxed{1} = 5$$

$$\boxed{4} \times 2 + 5 = 13 \qquad \boxed{5} \times 8 - 4 = 36$$

$$9 \times \boxed{7} + 3 = 66 \qquad 6 \times \boxed{6} - 1 = 35$$

$$4 \times 5 + \boxed{6} = 26 \qquad 3 \times 8 - \boxed{2} = 22$$

$$\boxed{9} \times 1 + 7 = 16 \qquad \boxed{5} \times 9 - 6 = 39$$

$$8 \times \boxed{5} + 3 = 43 \qquad 4 \times \boxed{8} - 2 = 30$$

응용연산

1 빈칸에 알맞은 수를 쓰세요.

$\boxed{5}$ —×7→ $\boxed{35}$ —+6→ $\boxed{41}$

$\boxed{3}$ —×9→ $\boxed{27}$ —−4→ $\boxed{23}$

$\boxed{4}$ —×5→ $\boxed{20}$ —+2→ $\boxed{22}$

$\boxed{7}$ —×3→ $\boxed{21}$ —−8→ $\boxed{13}$

$\boxed{6}$ —×6→ $\boxed{36}$ —−6→ $\boxed{30}$

$\boxed{9}$ —×2→ $\boxed{18}$ —+5→ $\boxed{23}$

2 □ 안에는 같은 수가 들어갑니다. □ 안에 알맞은 수를 쓰세요.

$$7 \times \boxed{5} = \boxed{5} + 30 \qquad 40 - \boxed{8} = 4 \times \boxed{8}$$

$$\boxed{9} + 45 = \boxed{9} \times 6 \qquad \boxed{6} \times 5 = 36 - \boxed{6}$$

$$8 \times \boxed{7} = 49 + \boxed{7} \qquad 20 - \boxed{2} = \boxed{2} \times 9$$

3 같은 모양은 같은 수, 다른 모양은 다른 수를 나타냅니다. ★은 얼마일까요?

◆ × ◆ = 49
7 + ● = 11
7 + ● = 7
● × ★ − ◆ = 13

★ = $\boxed{5}$

● × ● = 64
● − ▲ = 5
▲ × ★ − ● = 10

★ = $\boxed{6}$

4 어떤 수에 4를 곱한 후 7을 더하면 31이 됩니다. 어떤 수를 □라 하여 식을 세우고 어떤 수를 구하세요.

식 $\boxed{\square \times 4 + 7 = 31}$ □ = $\underline{\quad 6 \quad}$

5 구슬이 5개씩 들어있는 주머니가 모두 8개 있습니다. 각 주머니에서 구슬을 1개씩 꺼내면 주머니에 들어있는 구슬은 모두 몇 개일까요?

식 $\underline{5 \times 8 - 8 = 32}$ 답 $\underline{\quad 32 \quad}$ 개

216 연속수의 합

1, 2, 3과 같이 차례로 나열되어 있는 수를 연속수라고 합니다. 연속수의 합을 알아봅시다.

$$\overset{+2\ +1\ -1\ -2}{4+5+6+7+8}=6+6+6+6+6=6\times\boxed{5}=\boxed{30}$$
중앙수

연속수의 개수가 홀수 개일 때는 같은 수를 더하고 빼서 중앙수의 합으로 만듭니다.

$$1+2+3+4+5+6=7+7+7=7\times\boxed{3}=\boxed{21}$$

연속수의 개수가 짝수 개일 때는 합이 같은 두 수씩 짝을 지어 통합을 구합니다.

<연속수의 개수가 홀수 개>

$$3+\underset{\text{중앙수}}{4}+5=4+4+4=4\times\boxed{3}=\boxed{12}$$

$$2+3+4+5+6=4+4+4+4+4=4\times\boxed{5}=\boxed{20}$$

$$3+4+5+6+7=\boxed{5}+\boxed{5}+\boxed{5}+\boxed{5}+\boxed{5}=\boxed{5}\times\boxed{5}=\boxed{25}$$

<연속수의 개수가 짝수 개>

$$1+2+3+4=5+5=5\times\boxed{2}=\boxed{10}$$

$$3+4+5+6=9+9=9\times\boxed{2}=\boxed{18}$$

$$2+3+4+5+6+7=\boxed{9}+\boxed{9}+\boxed{9}=9\times\boxed{3}=\boxed{27}$$

$$7+8+9=\boxed{8}\times\boxed{3}=\boxed{24}$$

$$1+2+3+4+5=\boxed{3}\times\boxed{5}=\boxed{15}$$

$$2+3+4+5=\boxed{7}\times\boxed{2}=\boxed{14}$$

$$5+6+7+8+9=\boxed{7}\times\boxed{5}=\boxed{35}$$

$$1+2+3+4+5+6=\boxed{7}\times\boxed{3}=\boxed{21}$$

$$2+3+4+5+6+7+8=\boxed{5}\times\boxed{7}=\boxed{35}$$

$$1+2+3+4+5+6+7+8=\boxed{9}\times\boxed{4}=\boxed{36}$$

$$1+2+3+4+5+6+7+8+9=\boxed{5}\times\boxed{9}=\boxed{45}$$

1 다음은 연속수의 덧셈식입니다. □ 안에 알맞은 수를 쓰세요.

$$\boxed{3}+\underset{\text{중앙수}}{\boxed{4}}+\boxed{5}=\underset{\text{중앙수}}{\boxed{4}}\times3=12$$

$$\boxed{3}+\underset{\text{두 수의 합}}{\boxed{4}+\boxed{5}+\boxed{6}}=\underset{\text{두 수의 합}}{\boxed{9}}\times2=18$$

$$\boxed{2}+\boxed{3}+\boxed{4}+\boxed{5}+\boxed{6}=\boxed{4}\times5=20$$

$$\boxed{1}+\boxed{2}+\boxed{3}+\boxed{4}+\boxed{5}+\boxed{6}=\boxed{7}\times3=21$$

2 다음과 같이 수를 배열한 표가 있습니다. 색칠된 칸의 수를 모두 더하면 얼마일까요? 곱셈을 이용한 식으로 나타내세요.

1	2	3	4	5
6	7	8	9	10
11	12	13	14	15
16	17	18	19	20
21	22	23	24	25

$$\boxed{8}\times\boxed{5}=\boxed{40}$$

1	2	3	4	5
6	7	8	9	10
11	12	13	14	15
16	17	18	19	20
21	22	23	24	25

$$\boxed{8}\times\boxed{9}=\boxed{72}$$

3 달력에 색칠된 날짜의 합을 구하세요.

일	월	화	수	목	금	토
	1	2	3	4	5	6
7	8	9	10	11	12	13
14	15	16	17	18	19	20
21	22	23	24	25	26	27
28	29	30	31			

$$\boxed{21}$$
$$7\times3=21$$

일	월	화	수	목	금	토
					1	2
3	4	5	6	7	8	9
10	11	12	13	14	15	16
17	18	19	20	21	22	23
24	25	26	27	28	29	30

$$\boxed{42}$$
$$6\times7=42$$

일	월	화	수	목	금	토
1	2	3	4	5	6	7
8	9	10	11	12	13	14
15	16	17	18	19	20	21
22	23	24	25	26	27	28
29	30	31				

$$\boxed{81}$$
$$9\times9=81$$

일	월	화	수	목	금	토
					1	2	3
4	5	6	7	8	9	10
11	12	13	14	15	16	17
18	19	20	21	22	23	24
25	26	27	28	29	30	

$$\boxed{40}$$
$$8\times5=40$$

4 윤정이는 월요일부터 일요일까지 일주일 동안 매일 줄넘기를 하기로 하였습니다. 줄넘기를 하는 일주일 동안의 날짜의 합이 42일 때, 월요일은 며칠일까요?

일주일은 7일이므로 홀수 개의 합을 이용합니다.

$6\times7=42$, 월요일부터 일요일 중 중간 요일인 목요일이 6일.

따라서 월요일은 3일입니다.

$$\underline{3}\text{일}$$

42·43쪽

형성평가

1 다음은 사탕의 개수를 구하는 식입니다. □ 안에 알맞은 수를 쓰세요.

$$\boxed{3} \times 6 + 4 \times \boxed{5} = \boxed{38}$$

2 간단하게 계산하세요.

$$8-2+8-2+8-2+8-2+8-2= \boxed{8} \times 5 - 2 \times \boxed{5} = \boxed{30}$$

$$7-3+4+7-3+4+7-3+4= \boxed{7} \times 3 - 3 \times \boxed{3} + 4 \times \boxed{3} = \boxed{24}$$

3 주어진 수를 올바른 식이 되도록 빈칸에 쓰세요.

$$\boxed{63} \ominus \boxed{36} = \boxed{27}$$

4 태영이는 한 묶음에 5장씩 9묶음의 카드를 가지고 있었습니다. 그중에서 카드 7장을 친구에게 주었습니다. 태영이에게 남은 카드는 몇 장일까요?

식 $5 \times 9 - 7 = 38$ 답 38 장

5 빈칸에 알맞은 수를 쓰세요.

$$9 \xrightarrow{\times 5} 45 \xrightarrow{+7} 52$$

$$4 \xrightarrow{\times 8} 32 \xrightarrow{-6} 26$$

6 같은 모양은 같은 수, 다른 모양은 다른 수를 나타냅니다. ★은 얼마일까요?

$$\spadesuit \times \spadesuit = 81$$
$$\spadesuit - \bullet = 2$$
$$\bullet \times ★ - \spadesuit = 47$$

★ = $\boxed{8}$

44쪽

7 어떤 수에 6을 곱한 후 3을 빼면 39가 됩니다. 어떤 수는 얼마일까요?

식 $\square \times 6 - 3 = 39$ □ = 7

8 다음은 연속수의 덧셈식입니다. □ 안에 알맞은 수를 쓰세요.

$$\boxed{8} + \boxed{9} + \boxed{10} = 27$$

$$\boxed{3} + \boxed{4} + \boxed{5} + \boxed{6} + \boxed{7} = 25$$

9 달력에 색칠된 날짜의 합을 구하세요.

일	월	화	수	목	금	토
		1	2	3	4	5	6
7	8	9	10	11	12	13
14	15	16	17	18	19	20
21	22	23	24	25	26	27
28	29	30	31			

45

$$2+8+9+10+16=9 \times 5 = 45$$

나눗셈구구

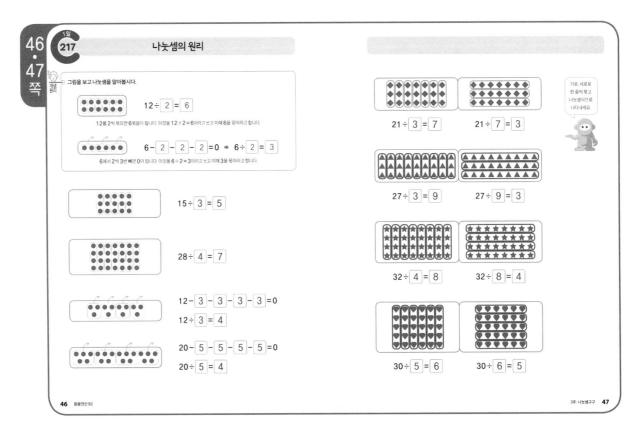

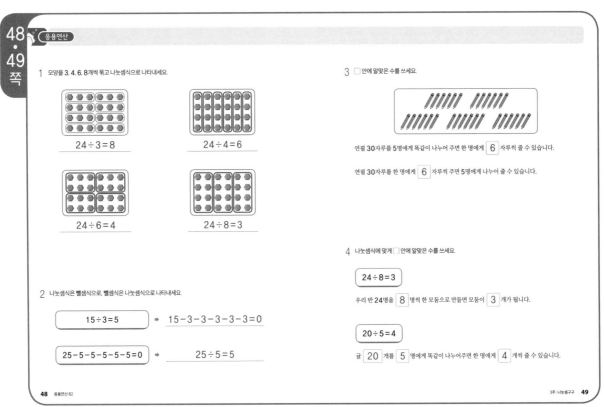

218 곱셈과 나눗셈의 관계

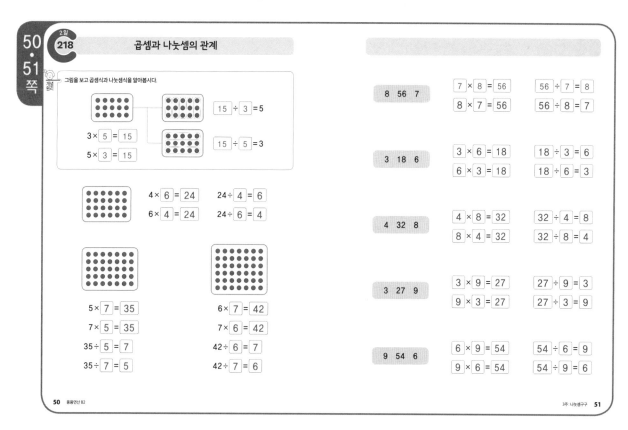

그림을 보고 곱셈식과 나눗셈식을 알아봅시다.

$15 \div 3 = 5$

$3 \times 5 = 15$

$5 \times 3 = 15$

$15 \div 5 = 3$

$4 \times 6 = 24$ $24 \div 4 = 6$

$6 \times 4 = 24$ $24 \div 6 = 4$

$5 \times 7 = 35$ $6 \times 7 = 42$

$7 \times 5 = 35$ $7 \times 6 = 42$

$35 \div 5 = 7$ $42 \div 6 = 7$

$35 \div 7 = 5$ $42 \div 7 = 6$

8 56 7

$7 \times 8 = 56$ $56 \div 7 = 8$

$8 \times 7 = 56$ $56 \div 8 = 7$

3 18 6

$3 \times 6 = 18$ $18 \div 3 = 6$

$6 \times 3 = 18$ $18 \div 6 = 3$

4 32 8

$4 \times 8 = 32$ $32 \div 4 = 8$

$8 \times 4 = 32$ $32 \div 8 = 4$

3 27 9

$3 \times 9 = 27$ $27 \div 9 = 3$

$9 \times 3 = 27$ $27 \div 3 = 9$

9 54 6

$6 \times 9 = 54$ $54 \div 6 = 9$

$9 \times 6 = 54$ $54 \div 9 = 6$

응용연산

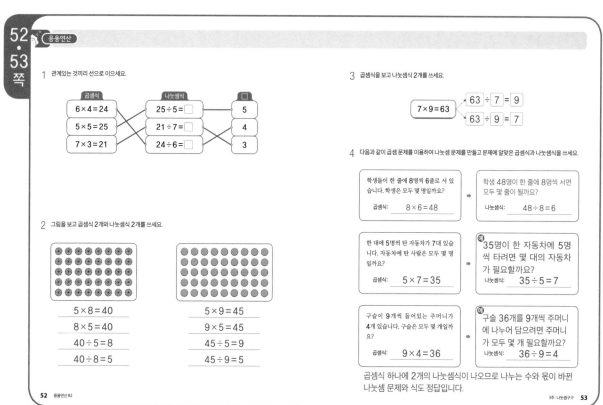

1 관계있는 것끼리 선으로 이으세요.

곱셈식	나눗셈식	□
$6 \times 4 = 24$	$25 \div 5 = \square$	5
$5 \times 5 = 25$	$21 \div 7 = \square$	4
$7 \times 3 = 21$	$24 \div 6 = \square$	3

3 곱셈식을 보고 나눗셈식 2개를 쓰세요.

$7 \times 9 = 63$

$63 \div 7 = 9$

$63 \div 9 = 7$

4 다음과 같이 곱셈 문제를 이용하여 나눗셈 문제를 만들고 문제에 알맞은 곱셈식과 나눗셈식을 쓰세요.

학생들이 한 줄에 8명씩 6줄로 서 있습니다. 학생은 모두 몇 명일까요?

곱셈식: $8 \times 6 = 48$

➡ 학생 48명이 한 줄에 8명씩 서면 모두 몇 줄이 될까요?

나눗셈식: $48 \div 8 = 6$

한 대에 5명씩 탄 자동차가 7대 있습니다. 자동차에 탄 사람은 모두 몇 명일까요?

곱셈식: $5 \times 7 = 35$

➡ 35명이 한 자동차에 5명씩 타려면 몇 대의 자동차가 필요할까요?

나눗셈식: $35 \div 5 = 7$

구슬이 9개씩 들어있는 주머니가 4개 있습니다. 구슬은 모두 몇 개일까요?

곱셈식: $9 \times 4 = 36$

➡ 구슬 36개를 9개씩 주머니에 나누어 담으려면 주머니가 모두 몇 개 필요할까요?

나눗셈식: $36 \div 9 = 4$

곱셈식 하나에 2개의 나눗셈식이 나오므로 나누는 수와 몫이 바뀐 나눗셈 문제와 식도 정답입니다.

2 그림을 보고 곱셈식 2개와 나눗셈식 2개를 쓰세요.

$5 \times 8 = 40$ $5 \times 9 = 45$

$8 \times 5 = 40$ $9 \times 5 = 45$

$40 \div 5 = 8$ $45 \div 5 = 9$

$40 \div 8 = 5$ $45 \div 9 = 5$

54·55쪽

3일

C 219 곱셈으로 나눗셈의 몫 구하기

곱셈식을 이용하여 나눗셈의 몫을 구해 봅시다.

$6 \times 3 = 18$
$18 \div 6 = \boxed{3}$
$18 \div 3 = \boxed{6}$

$7 \times 8 = 56$
$56 \div 7 = \boxed{8}$
$56 \div 8 = \boxed{7}$

$6 \times 4 = 24$
$24 \div 6 = \boxed{4}$
$24 \div 4 = \boxed{6}$

$9 \times 8 = 72$
$72 \div 9 = \boxed{8}$
$72 \div 8 = \boxed{9}$

$8 \times 4 = 32$
$32 \div 8 = \boxed{4}$
$32 \div 4 = \boxed{8}$

$5 \times 3 = 15$
$15 \div 5 = \boxed{3}$
$15 \div 3 = \boxed{5}$

$2 \times 6 = 12$
$12 \div 2 = \boxed{6}$
$12 \div 6 = \boxed{2}$

$4 \times 5 = 20$
$20 \div 4 = \boxed{5}$
$20 \div 5 = \boxed{4}$

$7 \times 6 = 42$
$42 \div 7 = \boxed{6}$
$42 \div 6 = \boxed{7}$

$3 \times 7 = 21$
$21 \div 3 = \boxed{7}$
$21 \div 7 = \boxed{3}$

$6 \times 9 = 54$
$54 \div 6 = \boxed{9}$
$54 \div 9 = \boxed{6}$

$\boxed{8} \times 6 = 48$
$48 \div 6 = \boxed{8}$

$7 \times \boxed{9} = 63$
$63 \div 7 = \boxed{9}$

$\boxed{8} \times 3 = 24$
$24 \div 3 = \boxed{8}$

$5 \times \boxed{4} = 20$
$20 \div 5 = \boxed{4}$

$\boxed{5} \times 2 = 10$
$10 \div 2 = \boxed{5}$

$9 \times \boxed{6} = 54$
$54 \div 9 = \boxed{6}$

$\boxed{7} \times 8 = 56$
$56 \div 8 = \boxed{7}$

$4 \times \boxed{3} = 12$
$12 \div 4 = \boxed{3}$

$\boxed{8} \times 5 = 40$
$40 \div 5 = \boxed{8}$

$\begin{array}{r} 8 \\ \times\ \boxed{4} \\ \hline 3\ 2 \end{array}$ ⟹ $8\overline{)\,3\ 2}^{\ \boxed{4}}$

$\begin{array}{r} 9 \\ \times\ \boxed{5} \\ \hline 4\ 5 \end{array}$ ⟹ $9\overline{)\,4\ 5}^{\ \boxed{5}}$

$\begin{array}{r} \boxed{7} \\ \times\ 7 \\ \hline 4\ 9 \end{array}$ ⟹ $7\overline{)\,4\ 9}^{\ \boxed{7}}$

$\begin{array}{r} \boxed{4} \\ \times\ 6 \\ \hline 2\ 4 \end{array}$ ⟹ $6\overline{)\,2\ 4}^{\ \boxed{4}}$

56·57쪽

응용연산

1 계산 결과에 맞게 길을 그리세요.

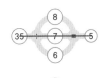

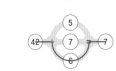

3 나눗셈식 $32 \div \blacklozenge = \bigstar$에 대한 설명 중 옳지 않은 것에 ×표 하세요.

$\blacklozenge \times \bigstar = 32$	$32 \div \bigstar = \blacklozenge$	$\bigstar$이 4이면 $\blacklozenge$은 8
$\bigstar \times \blacklozenge = 1$ ✕		$\bigstar \times \blacklozenge = 32$

4 딸기가 35개 있습니다. 한 사람이 5개씩 똑같이 나누어 먹는다면 모두 몇 명이 먹을 수 있을까요?

식 $\underline{35 \div 5 = 7}$ 답 $\underline{7}$ 명

5 구슬이 32개 있습니다. 한 주머니에 구슬을 4개씩 담으려고 합니다. 주머니는 몇 개 필요할까요?

식 $\underline{32 \div 4 = 8}$ 답 $\underline{8}$ 개

6 54쪽짜리 동화책을 하루에 9쪽씩 매일 읽으려고 합니다. 이 책을 모두 읽으려면 며칠이 걸릴까요?

식 $\underline{54 \div 9 = 6}$ 답 $\underline{6}$ 일

2 계산 결과가 같은 것끼리 선으로 이으세요.

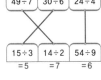

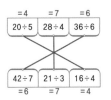

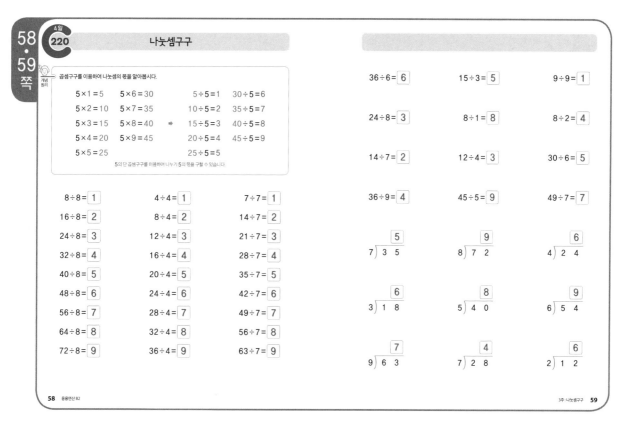

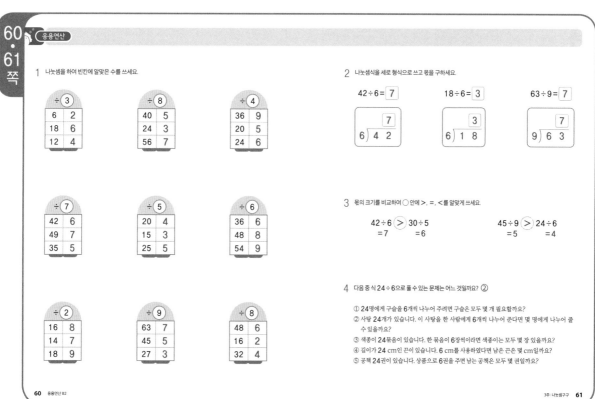

형성평가

1 나눗셈식은 뺄셈식으로, 뺄셈식은 나눗셈식으로 나타내세요.

$$36 \div 6 = 6$$ ➡ $$36 - 6 - 6 - 6 - 6 - 6 - 6 = 0$$

$$42 - 7 - 7 - 7 - 7 - 7 - 7 = 0$$ ➡ $$42 \div 7 = 6$$

2 □ 안에 알맞은 수를 쓰세요.

사탕 27개를 3명에게 똑같이 나누어 주면 한 명에게 **9** 개씩 줄 수 있습니다.

사탕 27개를 한 명에게 **9** 개씩 주면 3명에게 나누어 줄 수 있습니다.

3 관계있는 것끼리 선으로 이으세요.

4 곱셈식을 보고 나눗셈식 2개를 쓰세요.

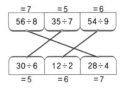

$$4 \times 7 = 28$$
$$28 \div 4 = 7$$
$$28 \div 7 = 4$$

5 계산 결과가 같은 것끼리 선으로 이으세요.

= 7	= 5	= 6
56 ÷ 8	35 ÷ 7	54 ÷ 9

30 ÷ 6	12 ÷ 2	28 ÷ 4
= 5	= 6	= 7

6 곶감이 63개 있습니다. 한 주머니에 곶감을 7개씩 담으려고 합니다. 주머니는 몇 개 필요할까요?

식 $$63 \div 7 = 9$$ 답 **9** 개

7 나눗셈을 하여 빈칸에 알맞은 수를 쓰세요.

÷ 5	
15	3
35	7
20	4

÷ 9	
63	7
45	5
81	9

÷ 7	
42	6
35	5
56	8

8 나눗셈식을 세로 형식으로 쓰고 몫을 구하세요.

$$48 \div 8 = 6$$

```
     6
  8) 4 8
```

$$49 \div 7 = 7$$

```
     7
  7) 4 9
```

9 몫의 크기를 비교하여 ○ 안에 >, =, < 를 알맞게 쓰세요.

$$20 \div 5 < 45 \div 9$$
$$= 4 \qquad = 5$$

$$36 \div 6 < 14 \div 2$$
$$= 6 \qquad = 7$$

나눗셈구구의 활용

221

1일

□가 있는 나눗셈구구

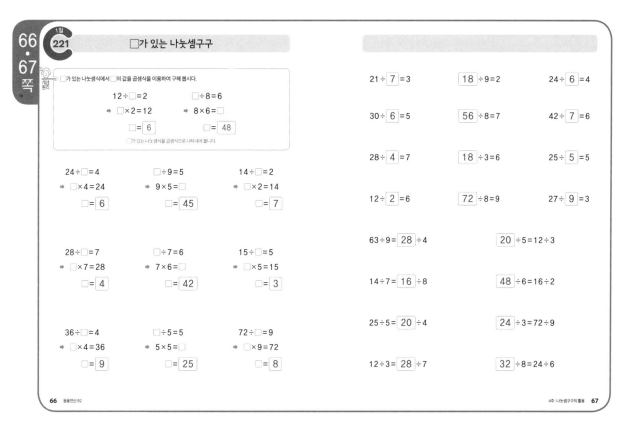

□가 있는 나눗셈식에서 □의 값을 곱셈식을 이용하여 구해 봅시다.

$12 \div □ = 2$ 　　$□ \div 8 = 6$

➡ $□ \times 2 = 12$ 　➡ $8 \times 6 = □$

$□ = 6$ 　　$□ = 48$

□가 있는 나눗셈식을 곱셈식으로 나타내어 봅니다.

$24 \div □ = 4$ 　　$□ \div 9 = 5$ 　　$14 \div □ = 2$

➡ $□ \times 4 = 24$ 　➡ $9 \times 5 = □$ 　➡ $□ \times 2 = 14$

$□ = 6$ 　　$□ = 45$ 　　$□ = 7$

$28 \div □ = 7$ 　　$□ \div 7 = 6$ 　　$15 \div □ = 5$

➡ $□ \times 7 = 28$ 　➡ $7 \times 6 = □$ 　➡ $□ \times 5 = 15$

$□ = 4$ 　　$□ = 42$ 　　$□ = 3$

$36 \div □ = 4$ 　　$□ \div 5 = 5$ 　　$72 \div □ = 9$

➡ $□ \times 4 = 36$ 　➡ $5 \times 5 = □$ 　➡ $□ \times 9 = 72$

$□ = 9$ 　　$□ = 25$ 　　$□ = 8$

$21 \div \boxed{7} = 3$ 　　$\boxed{18} \div 9 = 2$ 　　$24 \div \boxed{6} = 4$

$30 \div \boxed{6} = 5$ 　　$\boxed{56} \div 8 = 7$ 　　$42 \div \boxed{7} = 6$

$28 \div \boxed{4} = 7$ 　　$\boxed{18} \div 3 = 6$ 　　$25 \div \boxed{5} = 5$

$12 \div \boxed{2} = 6$ 　　$\boxed{72} \div 8 = 9$ 　　$27 \div \boxed{9} = 3$

$63 \div 9 = \boxed{28} \div 4$ 　　$\boxed{20} \div 5 = 12 \div 3$

$14 \div 7 = \boxed{16} \div 8$ 　　$\boxed{48} \div 6 = 16 \div 2$

$25 \div 5 = \boxed{20} \div 4$ 　　$\boxed{24} \div 3 = 72 \div 9$

$12 \div 3 = \boxed{28} \div 7$ 　　$\boxed{32} \div 8 = 24 \div 6$

응용연산

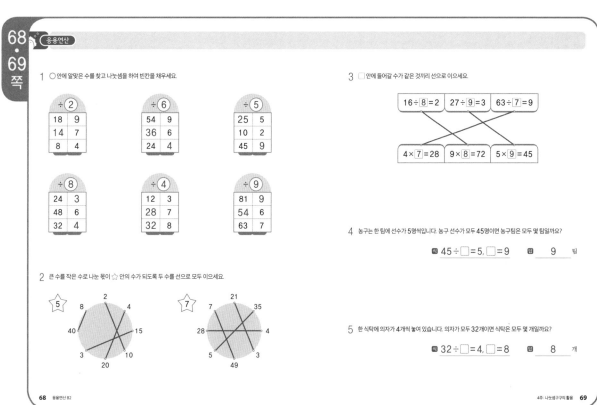

1 ○안에 알맞은 수를 찾고 나눗셈을 하여 빈칸을 채우세요.

÷②	
18	9
14	7
8	4

÷⑥	
54	9
36	6
24	4

÷⑤	
25	5
10	2
45	9

÷⑧	
24	3
48	6
32	4

÷④	
12	3
28	7
32	8

÷⑨	
81	9
54	6
63	7

2 큰 수를 작은 수로 나눈 몫이 ☆ 안의 수가 되도록 두 수를 선으로 모두 이으세요.

3 □안에 들어갈 수가 같은 것끼리 선으로 이으세요.

$16 \div \boxed{8} = 2$ 　$27 \div \boxed{9} = 3$ 　$63 \div \boxed{7} = 9$

$4 \times \boxed{7} = 28$ 　$9 \times \boxed{8} = 72$ 　$5 \times \boxed{9} = 45$

4 농구는 한 팀에 선수가 5명씩입니다. 농구 선수가 모두 45명이면 농구팀은 모두 몇 팀일까요?

식 $45 \div □ = 5, □ = 9$ 　　답 9 팀

5 한 식탁에 의자가 4개씩 놓여 있습니다. 의자가 모두 32개이면 식탁은 모두 몇 개일까요?

식 $32 \div □ = 4, □ = 8$ 　　답 8 개

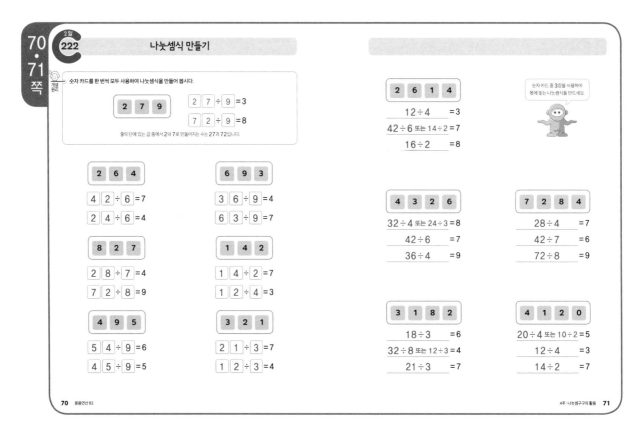

222 나눗셈식 만들기

숫자 카드를 한 번씩 모두 사용하여 나눗셈식을 만들어 봅시다.

| 2 | 7 | 9 |

$27 \div 9 = 3$
$72 \div 9 = 8$

9의 단에 있는 곱 중에서 2와 7로 만들어지는 수는 27과 72입니다.

| 2 | 6 | 4 |

$42 \div 6 = 7$
$24 \div 6 = 4$

| 6 | 9 | 3 |

$36 \div 9 = 4$
$63 \div 9 = 7$

| 8 | 2 | 7 |

$28 \div 7 = 4$
$72 \div 8 = 9$

| 1 | 4 | 2 |

$14 \div 2 = 7$
$12 \div 4 = 3$

| 4 | 9 | 5 |

$54 \div 9 = 6$
$45 \div 9 = 5$

| 3 | 2 | 1 |

$21 \div 3 = 7$
$12 \div 3 = 4$

숫자 카드 중 3장을 사용하여 몫에 맞는 나눗셈식을 만드세요

| 2 | 6 | 1 | 4 |

$12 \div 4 = 3$
$42 \div 6$ 또는 $14 \div 2 = 7$
$16 \div 2 = 8$

| 4 | 3 | 2 | 6 |

$32 \div 4$ 또는 $24 \div 3 = 8$
$42 \div 6 = 7$
$36 \div 4 = 9$

| 7 | 2 | 8 | 4 |

$28 \div 4 = 7$
$42 \div 7 = 6$
$72 \div 8 = 9$

| 3 | 1 | 8 | 2 |

$18 \div 3 = 6$
$32 \div 8$ 또는 $12 \div 3 = 4$
$21 \div 3 = 7$

| 4 | 1 | 2 | 0 |

$20 \div 4$ 또는 $10 \div 2 = 5$
$12 \div 4 = 3$
$14 \div 2 = 7$

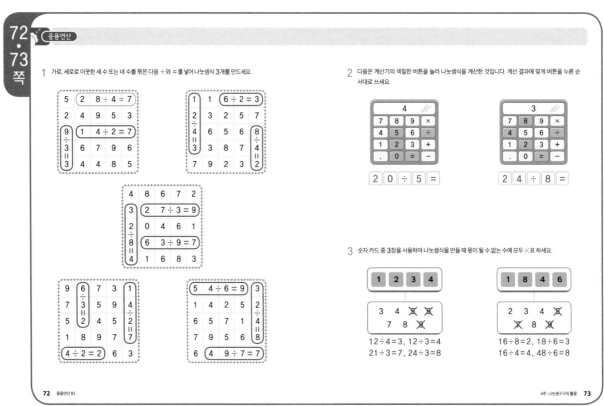

응용연산

1 가로, 세로로 이웃한 세 수 또는 네 수를 묶은 다음 ÷와 =를 넣어 나눗셈식 3개를 만드세요.

2 다음은 계산기의 색칠한 버튼을 눌러 나눗셈식을 계산한 것입니다. 계산 결과에 맞게 버튼을 누른 순서대로 쓰세요.

$20 \div 5 =$

$24 \div 8 =$

3 숫자 카드 중 3장을 사용하여 나눗셈식을 만들 때 몫이 될 수 없는 수에 모두 ×표 하세요.

| 1 | 2 | 3 | 4 |

| 3 | 4 | ✕ | ✕ |
| 7 | 8 | ✕ | |

$12 \div 4 = 3$, $12 \div 3 = 4$
$21 \div 3 = 7$, $24 \div 3 = 8$

| 1 | 8 | 4 | 6 |

| 2 | 3 | 4 | ✕ |
| ✕ | 8 | ✕ | |

$16 \div 8 = 2$, $18 \div 6 = 3$
$16 \div 4 = 4$, $48 \div 6 = 8$

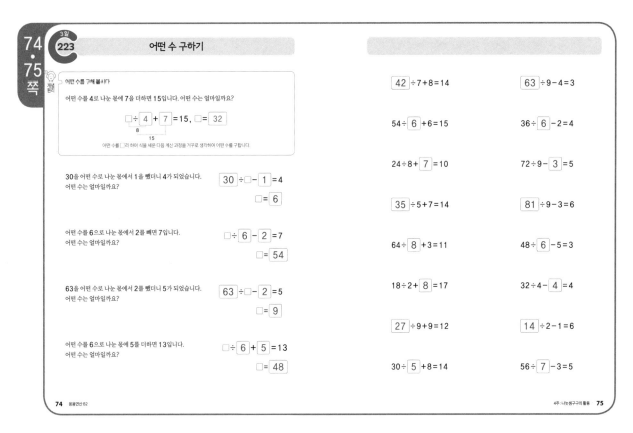

3일 223 어떤 수 구하기

어떤 수를 구해 봅시다

어떤 수를 4로 나눈 몫에 7을 더하면 15입니다. 어떤 수는 얼마일까요?

$$□ ÷ \boxed{4} + \boxed{7} = 15, □ = \boxed{32}$$

어떤 수를 □라 하여 식을 세운 다음 계산 과정을 거꾸로 생각하여 어떤 수를 구합니다.

30을 어떤 수로 나눈 몫에서 1을 뺐더니 4가 되었습니다. 어떤 수는 얼마일까요?

$$\boxed{30} ÷ □ - \boxed{1} = 4$$
$$□ = \boxed{6}$$

어떤 수를 6으로 나눈 몫에서 2를 빼면 7입니다. 어떤 수는 얼마일까요?

$$□ ÷ \boxed{6} - \boxed{2} = 7$$
$$□ = \boxed{54}$$

63을 어떤 수로 나눈 몫에서 2를 뺐더니 5가 되었습니다. 어떤 수는 얼마일까요?

$$\boxed{63} ÷ □ - \boxed{2} = 5$$
$$□ = \boxed{9}$$

어떤 수를 6으로 나눈 몫에 5를 더하면 13입니다. 어떤 수는 얼마일까요?

$$□ ÷ \boxed{6} + \boxed{5} = 13$$
$$□ = \boxed{48}$$

$\boxed{42} ÷ 7 + 8 = 14$ $\boxed{63} ÷ 9 - 4 = 3$

$54 ÷ \boxed{6} + 6 = 15$ $36 ÷ \boxed{6} - 2 = 4$

$24 ÷ 8 + \boxed{7} = 10$ $72 ÷ 9 - \boxed{3} = 5$

$\boxed{35} ÷ 5 + 7 = 14$ $\boxed{81} ÷ 9 - 3 = 6$

$64 ÷ \boxed{8} + 3 = 11$ $48 ÷ \boxed{6} - 5 = 3$

$18 ÷ 2 + \boxed{8} = 17$ $32 ÷ 4 - \boxed{4} = 4$

$\boxed{27} ÷ 9 + 9 = 12$ $\boxed{14} ÷ 2 - 1 = 6$

$30 ÷ \boxed{5} + 8 = 14$ $56 ÷ \boxed{7} - 3 = 5$

응용연산

1 같은 모양은 같은 수, 다른 모양은 다른 수를 나타냅니다. □ 안에 알맞은 수를 쓰세요.

$12 ÷ ★ = 2$
$14 ÷ ▲ = 7$
$★ ÷ ▲ = \boxed{3}$
$6 \quad 2$

$28 ÷ ◆ = 7$
$● ÷ 8 = 2$
$● ÷ ◆ = \boxed{4}$
$16 \quad 4$

2 다음과 같이 어떤 수를 구하고 답을 구하세요.

어떤 수에 9를 곱하였더니 54가 되었습니다. 어떤 수를 2로 나누면 얼마일까요?

어떤 수: $□ × 9 = 54, □ = 6$

계산하기: $6 ÷ 2 = 3$

어떤 수를 4로 나누면 몫이 2입니다. 어떤 수에 7을 곱하면 얼마일까요?

어떤 수: $□ ÷ 4 = 2, □ = 8$

계산하기: $8 × 7 = 56$

28을 어떤 수로 나누면 몫이 4입니다. 어떤 수에 5를 곱하면 얼마일까요?

어떤 수: $28 ÷ □ = 4, □ = 7$

계산하기: $7 × 5 = 35$

3 같은 모양은 같은 수, 다른 모양은 다른 수를 나타냅니다. 각 모양이 나타내는 수를 구하세요.

$♠ × ■ = 18$
$♠ ÷ ■ = 2$
$♠ = \boxed{6}, ■ = \boxed{3}$

$♥ - ♣ = 9$
$♥ ÷ ♣ = 4$
$♥ = \boxed{12}, ♣ = \boxed{3}$

4 두 수의 합은 12이고 큰 수를 작은 수로 나누면 몫이 2입니다. 두 수를 구하세요. $\boxed{4}, \boxed{8}$

5 어떤 수를 6으로 나누었더니 몫이 6이 되었습니다. 어떤 수를 4로 나누었을 때의 몫은 얼마일까요?

$□ ÷ 6 = 6, □ = 36, 36 ÷ 4 = 9$ $\boxed{9}$

6 어떤 수를 8로 나누어야 할 것을 잘못하여 4로 나누었더니 몫이 6이 되었습니다. 바르게 계산하면 몫은 얼마일까요?

$□ ÷ 4 = 6, □ = 24, 24 ÷ 8 = 3$ $\boxed{3}$

C 4일 224 곱셈과 나눗셈, 덧셈과 뺄셈

거꾸로 계산하여 봅시다.

$32 \xrightarrow{\div 8} 4 \xrightarrow{+6} 10$
$\xleftarrow{\times 8}$ $\xleftarrow{-6}$
거꾸로 계산할 때에는 나눗셈은 곱셈으로
덧셈은 뺄셈으로 계산합니다.

$7 \xrightarrow{\times 5} 35 \xrightarrow{-6} 29$
$\xleftarrow{\div 5}$ $\xleftarrow{+6}$
거꾸로 계산할 때에는 곱셈은 나눗셈으로
뺄셈은 덧셈으로 계산합니다.

$25 \xrightarrow{\div 5} 5 \xrightarrow{+6} 11$
$\xleftarrow{\times 5}$ $\xleftarrow{-6}$

$6 \xrightarrow{\times 3} 18 \xrightarrow{-9} 9$
$\xleftarrow{\div 3}$ $\xleftarrow{+9}$

$4 \xrightarrow{\times 8} 32 \xrightarrow{-5} 27$
$\xleftarrow{\div 8}$ $\xleftarrow{+5}$

$45 \xrightarrow{\div 5} 9 \xrightarrow{+4} 13$
$\xleftarrow{\times 5}$ $\xleftarrow{-4}$

$72 \xrightarrow{\div 9} 8 \xrightarrow{+2} 10$

$5 \xrightarrow{\times 6} 30 \xrightarrow{-7} 23$

$7 \xrightarrow{\times 4} 28 \xrightarrow{-5} 23$

$24 \xrightarrow{\div 3} 8 \xrightarrow{+9} 17$

$12 \xrightarrow{\div 4} 3 \xrightarrow{+7} 10$

$15 \xrightarrow{\div 5} 3 \xrightarrow{\times 9} 27$

$32 \xrightarrow{\div 8} 4 \xrightarrow{-2} 2$

$9 \xrightarrow{\times 4} 36 \xrightarrow{-6} 6$

$63 \xrightarrow{\div 7} 9 \xrightarrow{+5} 14$

$20 \xrightarrow{\div 5} 4 \xrightarrow{\times 3} 12$

$54 \xrightarrow{\div 6} 9 \xrightarrow{-4} 5$

$9 \xrightarrow{\times 4} 36 \xrightarrow{\div 9} 4$

$1 \xrightarrow{\times 5} 5 \xrightarrow{+8} 13$

$12 \xrightarrow{\div 3} 4 \xrightarrow{\times 7} 28$

$72 \xrightarrow{\div 9} 8 \xrightarrow{\times 3} 24$

$3 \xrightarrow{\times 6} 18 \xrightarrow{\div 2} 9$

응용연산

1 가로, 세로 방향으로 곱셈식, 나눗셈식을 하나씩 만들었습니다. 빈 곳에 알맞은 수를 쓰세요.

2 사다리를 타고 내려가면서 순서대로 계산을 합니다. ☐ 안에 알맞은 수를 쓰세요.

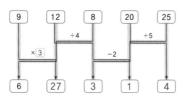

3 1부터 8까지의 수를 한 번씩 모두 사용하여 가로줄, 세로줄에 있는 4개의 식이 성립하도록 빈칸에 알맞은 수를 쓰세요.

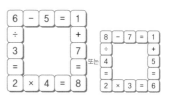

4 2, 3, 5, 6, 7, 8, 13, 14, 18을 한 번씩 모두 사용하여 3개의 식이 모두 성립하도록 만드세요.

$18 \div 6 = 3$ 　 $2 \times 7 = 14$ 　 $13 - 8 = 5$
　3　6　　　　 7　2　　　　 5　8

또는 $14 \div 7 = 2$ 　 $3 \times 6 = 18$ 　 $13 - 8 = 5$
　　2　7　　　　 6　3　　　　 5　8

5 지영이네 반 학생은 27명입니다. 4명씩 모둠 3개를 만들고, 나머지 학생들은 5명씩 모둠을 만들었습니다. 5명인 모둠은 몇 개일까요?

$4 \times 3 = 12,\ 27 - 12 = 15,\ 15 \div 5 = 3$ 　　 __3__ 개

형성평가

1 ○ 안에 알맞은 수를 찾고 나눗셈을 하여 빈칸을 채우세요.

÷④	
36	9
32	8
24	6

÷⑦	
49	7
28	4
35	5

÷⑨	
27	3
45	5
36	4

2 □ 안에 들어갈 수가 같은 것끼리 선으로 이으세요.

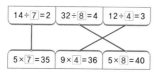

$14 \div \boxed{7} = 2$ $32 \div \boxed{8} = 4$ $12 \div \boxed{4} = 3$

$5 \times \boxed{7} = 35$ $9 \times \boxed{4} = 36$ $5 \times \boxed{8} = 40$

3 가로, 세로로 이웃한 세 수 또는 네 수를 묶은 다음 ÷와 =를 넣어 나눗셈식 3개를 만드세요.

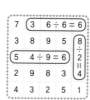

7	3	6÷6=6	
3	8	9	5	8÷2=4
5	4÷9=6		
2	9	3	4
4	3	2	5	1

4 다음은 계산기의 색칠한 버튼을 눌러 나눗셈식을 계산한 것입니다. 계산 결과에 맞게 버튼을 누른 순서대로 쓰세요.

$\boxed{8}\boxed{1} ÷ \boxed{9} =$

$\boxed{3}\boxed{2} ÷ \boxed{8} =$

5 같은 모양은 같은 수, 다른 모양은 다른 수를 나타냅니다. □ 안에 알맞은 수를 쓰세요.

$48 ÷ ★ = 8$
$18 ÷ ▲ = 9$
$★ ÷ ▲ = \boxed{3}$
6   2

$12 ÷ ◆ = 6$
$● ÷ 6 = 3$
$● ÷ ◆ = \boxed{9}$
18   2

6 같은 모양은 같은 수, 다른 모양은 다른 수를 나타냅니다. 각 모양이 나타내는 수를 빈칸에 쓰세요.

♣ × ◖ = 27
♣ ÷ ◖ = 3

♣ = $\boxed{9}$, ◖ = $\boxed{3}$

⬠ − ◖ = 16
⬠ ÷ ◖ = 5

⬠ = $\boxed{20}$, ◖ = $\boxed{4}$

84쪽

7 가로, 세로 방향으로 곱셈식, 나눗셈식을 하나씩 만들었습니다. 빈 곳에 알맞은 수를 쓰세요.

	7	
	×	
32 ÷	8	= 4
	=	
	56	

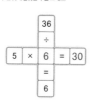

	36	
	÷	
5 ×	6	= 30
	=	
	6	

8 사다리를 타고 내려가면서 순서대로 계산을 합니다. 빈칸에 알맞은 수를 쓰세요.

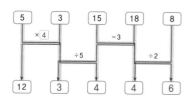

5	3	15	18	8
12	3	4	4	6

9 지웅이는 쿠키를 59개 가지고 있습니다. 쿠키 5개를 남기고 나머지는 친구 6명에게 똑같이 나누어 주려고 합니다. 친구 한 명에게 몇 개씩 주면 될까요?

$59 - 5 = 54$, $54 ÷ 6 = 9$

$\underline{\quad 9 \quad}$ 개

"

Numbers rule the universe.

"

"수가 우주를 지배한다"

Pythagoras, 피타고라스